MW00619182

EL ♥ AMOR SIEMPRE TIENE RAZON

UNA DEFENSA DE LA MORAL ABSOLUTA

Josh McDowell
y
Norm Geisler

Traducido por
Josie de Smith

Editorial Mundo Hispano

EDITORIAL MUNDO HISPANO
Apartado Postal 4256, El Paso, TX 79914 EE. UU. de A.
Agencias de Distribución

ARGENTINA: Rivadavia 3474, 1203 Buenos Aires, Teléfono: (541)863-6745. **BOLIVIA:** Casilla 2516, Santa Cruz, Tel.: (591)-342-7376, Fax: (591)-342-8193. **COLOMBIA:** Apartado Aéreo 55294, Bogotá 2, D.C., Tel.: (57)1-287-8602, Fax: (57)1-287-8992. **COSTA RICA:** Apartado 285, San Pedro Montes de Oca, San José, Tel.: (506)225-4565, Fax: (506)224-3677. **CHILE:** Casilla 1253, Santiago, Tel/Fax: (562)672-2114. **ECUADOR:** Casilla 3236, Guayaquil, Tel.: (593)4-455-311, Fax: (593)4-452-610. **EL SALVADOR:** Apartado 2506, San Salvador, Fax: (503)2-218-157. **ESPAÑA:** Padre Méndez #142-B, 46900 Torrente, Valencia, Tel.: (346)156-3578, Fax: (346)156-3579. **ESTADOS UNIDOS:** 7000 Alabama, El Paso, TX 79904, Tel.: (915)566-9656, Fax: (915)565-9008; 960 Chelsea Street, El Paso TX 79903, Tel.: (915)778-9191; 3725 Montana, El Paso, TX 79903, Tel.: (915)565-6234, Fax: (915)726-8432; 312 N. Azusa Ave., Azusa, CA 91702, Tel.: 1-800-321-6633, Fax: (818)334-5842; 1360 N.W. 88th Ave., Miami, FL 33172, Tel.: (305)592-6136, Fax: (305)592-0087; 8385 N.W. 56th Street, Miami, FL 33166, Tel.: (305)592-2219, Fax: (305)592-3004. **GUATEMALA:** Apartado 1135, Guatemala 01901, Tel: (5022)530-013, Fax: (5022)25225. **HONDURAS:** Apartado 279, Tegucigalpa, Tel. (504)3-814-81, Fax: (504)3-799-09. **MEXICO:** Vizcaínas Ote. 16, Col. Centro, 06080 México, D.F., Tel/Fax: (525)510-3674, 512-4103; Apartado 113-182, 03300 México, D.F., Tels.: (525)762-7247, 532-1210, Fax: 672-4813; Madero 62, Col. Centro, 06000 México, D.F., Tel/Fax: (525)512-9390; Independencia 36-B, Col. Centro, 06050 México, D.F., Tel.: (525)512-0206, Fax: 512-9475; Matamoros 344 Pte., 27000 Torreón, Coahuila, Tel.: (521)712-3180; Hidalgo 713, 44290 Guadalajara, Jalisco, Tel.: (523)510-3674; Félix U. Gómez 302 Nte. Tel.: (528)342-2832, Monterrey, N. L. **NICARAGUA:** Apartado 2340, Managua, Tel/Fax: (505)265-1989. **PANAMA:** Apartado E Balboa, Ancon, Tel.: (507)22-64-64-69, Fax: (507)228-4601. **PARAGUAY:** Casilla 1415, Asunción, Fax: (595)2-121-2952. **PERU:** Apartado 3177, Lima, Tel.: (511)4-24-7812, Fax: (511)440-9958. **PUERTO RICO:** Calle 13 S.O. #824, Capparra Terrace, Tel.: (809)783-7056, Fax: (809)781-7986; Calle San Alejandro 1825, Urb. San Ignacio, Río Piedras, Tel.: (809)764-6175. **REPUBLICA DOMINICANA:** Apartado 880, Santo Domingo, Tel.: (809)565-2282, Fax: (809)565-6944. **URUGUAY:** Casilla 14052, Montevideo 11700, Tel.: (598)2-394-846, Fax: (598)2-350-702. **VENEZUELA:** Apartado 3653, El Trigal 2002 A, Valencia, Edo. Carabobo, Tel/Fax: (584)1-231-725, Celular (581)440-3077.

Primera edición: 1997
Clasificación decimal Dewey: 241
Tema: 1. Etica cristiana
2. Conducta humana
3. Amor (Teología)
ISBN: 0-311- 46155-7
E.M.H. Art. No. 46155
5 M 4 97
Printed in U.S.A.

A menos que se indique otra cosa, todas las citas bíblicas están tomadas de la versión *Reina-Valera Actualizada*. © Copyright 1989, Editorial Mundo Hispano.

Indice

OFICINAS DE HABLA HISPANA
DE CRUZADA ESTUDIANTIL PARA CRISTO

ARGENTINA: Casilla de Correo 160. Suc. 12, 1412 Buenos Aires. **BOLIVIA:** Casilla 1490, Santa Cruz. **BRASIL:** Caixa Postal 41584, Sao Paulo, S.P. 05422-970. **COLOMBIA:** VIDA PARA COLOMBIA, Apartado Aéreo 80936, Santa Fe de Bogotá. **COSTA RICA:** Apartado #640-1007, San José. **CHILE:** Casilla 10, Centro Casillas, Santiago. **ECUADOR:** Apartado 17-11-04990. Quito. **EL SALVADOR:** Apartado 515; San Salvador. **ESPAÑA:** Agape Spain, Diputación 113-115, esc. D/Entlo. 3, 08015 Barcelona. **GUATEMALA:** Apartado Postal 1784, Guatemala. **HONDURAS:** P.O. Box 390, Tegucigalpa. **MEXICO:** Apartado Postal 1424 y 1023, Cuernavaca, Morelos. **PANAMA:** Apartado 2892, Panamá 3. **PARAGUAY:** Casilla 2626, Asunción. **PERU:** Apartado SR-003, Lima 33. **REPUBLICA DOMINICANA:** Apartado Postal 1897, Santo Domingo. **URUGUAY:** Casilla de Correo 1550, Montevideo. **VENEZUELA:** Apartado 47162, Caracas 1041 A.

CRUZADA ESTUDIANTIL PARA CRISTO
OFICINA CONTINENTAL PARA AMERICA LATINA

14050 SW 84 St., Suite 201
MIAMI, FLORIDA 33183 - U.S.A.
Tel: (305) 382-3073. **Fax:** (305) 386-1627

Reconocimientos

Vaya nuestro reconocimiento a las siguientes personas:

Ed Stewart por su gran pericia como redactor al trabajar con el manuscrito original y combinar los diversos pensamientos y aportes de ambos autores.

Javier Elizondo y Edward Pauley por su crítica profesional y profunda del manuscrito una vez completado. Sus percepciones y aclaraciones fueron de inmensa ayuda.

Dave Bellis, agente y socio de Josh McDowell durante diecinueve años, por guiar de principio a fin el proyecto que dio como resultado este libro.

Y por último, a Joey Paul y Word Publishing, casa editorial que publicara el original en inglés, por su aliento y el entusiasmo que han demostrado para que esta obra apareciera impresa.

Prefacio

La ética, y en especial la ética de dilemas, puede ser un tema controversial sobre el cual muchos buenos cristianos tienen sinceros desacuerdos. No obstante, los autores de este libro queremos, basándonos exclusivamente en la Biblia, enfocar estos temas (a veces problemáticos) relacionados con el bien y el mal. Nuestra meta principal es tratar algunos problemas difíciles y usar *principios bíblicos* como el entorno dentro del cual contestar muchas preguntas delicadas.

Pedimos al lector que a medida que lee este libro, deje a un lado cualquier noción preconcebida de lo que constituye una respuesta correcta o equivocada para las diversas situaciones examinadas. Y le rogamos que considere cada problema bajo la nueva perspectiva que ofrecen los principios tomados de la Palabra de Dios.

Aunque nuestra intención es ser fieles a la interpretación bíblica, puede ser que no concuerde usted con nuestras suposiciones o conclusiones. Le invitamos que nos escriba para contarnos sus inquietudes bíblicas o comentarios. Aunque no podemos prometer contestar cada carta, le aseguramos que consideraremos cuidadosamente cada inquietud que exprese.

Norm Geisler
Box 471974
Charlotte, NC 28247
EE. UU. de A.

Josh McDowell
P.O. Box 1000Q
Dallas, TX 75221
EE. UU. de A.

1

Historias de amor en desarrollo

"Sin casa y con hambre." Escritas sobre cartón con un lápiz de cera, las palabras le llaman la atención aun antes de detenerse ante el semáforo en un cruce de calles de mucho tránsito. Y no puede dejar de ver al hombre a la orilla de la calle junto a su ventanilla, pareciendo apuntar su cartel y fijar su mirada directamente en usted. Su vieja y gastada camisa le queda chica. Los pantalones harapientos están sucios. Su cabello grasoso se ve descuidado, y su rostro curtido tiene una barba de varios días. Sus ojos, que trata usted de esquivar, parecen vacíos por tantas privaciones y dejadez. Sí, realmente parece un hombre sin casa y con hambre.

Su mente instantáneamente se llena de la acostumbrada letanía de reacciones, como si una comisión de consejeros interiores, todos al mismo tiempo, le estuvieran gritando sugerencias. Y con cada pensamiento surge una protesta del otro lado de su cerebro diciéndole por qué no debe hacer caso de la sugerencia.

Haz una obra de amor. *Dale al pobre hombre esos pesos que tienes en tu billetera.* No, no le des dinero. Lo que probablemente haría sería irse derecho a comprar una bebida alcohólica. Es un pordiosero borracho tratando de engañar a la gente con su parodia de hombre sin casa y con hambre. Tu dinero será de más ayuda si se lo das al Ejército de Salvación u otra organización así que cuida de los necesitados.

Ofrécete a llevarlo a comer o al mercado para comprarle comida. Eso es demasiado peligroso. Puede ser que esté esperando justamente a un inocentón como tú para robarlo. Además, hoy estás muy ocupado, no tienes tiempo para obras de caridad. Aparte de eso, te ensuciaría la tapicería de tu auto con su ropa sucia.

Dale un tratado y cuéntale de Cristo. ¿Estás loco? Lo que menos está pensando este tipo es en religión. Si realmente no tiene casa y tiene hambre, necesita algo para comer y en ese aspecto no puedes ayudarle. Si está mendigando dinero para comprar una bebida o drogas, *no debes ayudarle.* Sea como fuere, no está interesado en un sermón callejero sobre el cielo y el infierno.

Lo humanitario sería confrontarlo con su pereza. Decirle que se consiga un trabajo y se encargue de su propio sustento. Pero quizá no es perezoso. Quizá es un buen obrero que no encuentra trabajo. Si lo confrontas injustamente, puede que empeores una situación que ya de por sí es mala, ¿y qué tendría de humanitario esto?

Después de unos segundos —que a usted le parecieron media hora— la luz se pone verde y sigue su camino. Antes de haber andado dos cuadras, sus pensamientos se concentran en su ocupadísimo horario como si nunca hubiera visto el triste espectáculo del pobre hombre con su cartel.

Ya salió usted por la puerta y se fue al hospital apenas colgó el teléfono. Laura, la vecina de al lado, llamó llorando para contarle que Julio, de diez años, hijo de Alicia, otra vecina, se había caído de cabeza de un árbol. "Está en peligro de muerte", había dicho Laura, "y Alicia está desesperada. Es una mamá sola que no tiene familia aquí. Alguien tendría que acompañarla." Usted se conmueve por el problema de Alicia y se da cuenta que tiene una oportunidad de compartir con ella el amor de Cristo en esta inesperada y triste emergencia. Así que allá se va.

Camino al hospital, sus pensamientos toman un curioso giro. *Esto no te hubiera pasado, Alicia, si hubieras controlado mejor a Julio. Siempre está intentando piruetas locas y peligrosas en ese árbol y corriendo atolondradamente en bicicleta o jugando con herramientas peligrosas. Y tú lo dejas. Por eso casi nunca dejo que Miguelito, mi hijo, vaya a jugar a tu casa. O quizá estabas un poco "pasadita de copas". Todo el vecindario sabe que bebes demasiado. Esa es otra razón por qué no dejo ir a Miguel a tu casa. Si no reaccionas podrías perder también a tu hijita menor, con sus escasos seis añitos.*

Para cuando llega usted al hospital, ya dominó sus pensamientos enfocando su atención en ayudar a Alicia en lo que pueda. En la mesa de recepción le informan que Julio está en cirugía, y sabe lo mal que se estará sintiendo Alicia. Pero cuando entra en la sala de espera, en lugar de caer en sus brazos, la desesperada madre de Julio la mira fríamente.

—Bueno, bueno, esto sí que es una sorpresa —dice secándose los ojos con un pañuelo—. No creía que mis vecinos santulones quisieran la compañía de gente común como nosotros. Usted no dejaba a su chico juntarse con Julio cuando él estaba bien. ¿Para qué aparece ahora que está al borde de la muerte?

Las palabras de Alicia son como una bofetada. Trata usted de justificarla porque está desesperada y que no piensa en lo que dice. Pero su mirada fría y palabras hostiles le van quitando toda la compasión que sentía. *¿No se da cuenta, Alicia, que me tomé el tiempo de mis muchas obligaciones para venir a acompañarla?*, responde para sus adentros. *He venido para ayudarle, no para juzgarla.* Por un lado quiere descartar sus crueles palabras y ver el dolor en su corazón y preguntarle en qué puede ayudar. Pero por otro lado quiere dar media vuelta y apartarse de su desagradecida vecina. *¿Por qué será que algunas personas son tan difíciles de amar?* usted se pregunta.

Ya sabía usted lo que la directora de la escuela dominical le iba a decir antes que abriera la boca. Sólo era cuestión de tiempo antes que la acorralara.

—Ya hace unos ocho meses que concurres a nuestra iglesia, ¿verdad? Me cuentan que en tu iglesia anterior eras maestra. ¿No podrías hacerte cargo de la clase de los niños de diez años? Realmente tenemos escasez de maestras con experiencia.

Tiembla usted por dentro. Los últimos ocho meses en su nueva iglesia han sido maravillosos. Nada de obligaciones, ni reuniones de comisión, sencillamente concurre a los cultos cuando le apetece. Ha tratado de pasar inadvertida mientras se cura del cansancio de todo el trabajo que hacía en la otra iglesia. Dios la ha curado, pero es tan lindo no estar metida en nada que por eso no se ha ofrecido para ningún trabajo. Ahora alguien la ha descubierto y la directora la mira fijamente esperanzada en su respuesta.

Aún peor, siente que ya es hora de volver a empezar a trabajar en la iglesia. Hace mucho que es creyente, y sabe muy bien que marginarse de la obra del Señor sería algo temporario, no un retiro permanente. No puede negar su don de la enseñanza ni la satisfacción que ha sentido al ayudar a los niños a aplicar la verdad bíblica a sus vidas. Pero tampoco puede olvidar la dedicación y el arduo trabajo que se requiere para enseñar bien, y nunca ha querido dar menos de lo que sabe que puede. Sabe que darle una respuesta afirmativa a la directora significará volver a tener la alegría y el estrés de la enseñanza.

Unos poquitos meses más, Señor, implora en silencio. Es tan lindo poder dormir un rato más los domingos en la mañana. Y no me entusiasma la idea de renunciar a varias noches por mes para ir a las reuniones de maestros, las actividades sociales de la clase y la visitación de los alumnos. ¿No puedes arreglar las cosas para que pueda aparecer los domingos a la mañana, enseñar la lección y se acabó? A veces, tratar de servirte es muy pesado. ¿No puedes darme un respiro en esta ocasión? Te amo, Señor, pero ¿amarte tiene que ser siempre tan sacrificado?

Queremos llevarnos bien

Quizá ninguna de las escenas anteriores describe exactamente su experiencia personal, pero es posible que se identifique con algunos de los elementos en una de ellas o todas. Aun cuando todo marcha sobre ruedas, la vida parece ser una serie sin fin de situaciones desafiantes, presiones personales, pequeñas crisis y decisiones difíciles. Y todas estas disyuntivas involucran de alguna manera a otras personas. La realidad es que las relaciones son el motivo principal de muchas de nuestras tensiones y conflictos. Amamos a nuestras familias, pero a veces los cónyuges no se entienden y se desilusionan. Los hijos en casa requieren toda nuestra energía y nos prueban la paciencia con sus demandas de tiempo y atención. Nuestros hijos adultos se van de casa y nuestros padres que van envejeciendo se entrometen en nuestros asuntos o requieren cada vez más atención y cuidado.

El círculo de relaciones fuera del hogar puede ser igualmente desafiante. El ambiente en el trabajo puede estar cargado de una malsana competencia entre compañeros de trabajo, demandas de los jefes y desilusiones de los empleados. Los líderes de la iglesia parecen siempre estar empujándonos a involucrarnos más y más en la obra. Los vecinos ruidosos nos molestan. Los empleados en las tiendas no nos hacen caso o cometen errores en las cuentas. Los maestros no entienden las necesidades de nuestros hijos. Y desde todos los sectores —indigentes, organizaciones de caridad, comisiones en la iglesia, el equipo deportivo de los hijos y otros— parecen atacarnos pidiendo siempre algo. Nos identificamos con un pastor que le dijo medio en broma, medio en serio, a otro: "Estar en el ministerio sería maravilloso si no fuera por la gente." Y simpatizamos con el ama de casa que se preguntaba: "¿Dónde me anoto para renunciar?" A veces pensamos que la vida sería mucho más fácil sin la presencia de otras personas y los desafíos estresantes que presentan.

Aun una relación personal con Dios tiene sus momentos difíciles. Por supuesto que Dios no es indiferente, injusto o excesivo en sus demandas como lo son algunos. Pero tampoco se conforma con no estar involucrado con su pueblo. Nos llama a estar en comunión con él por medio de la adoración y la oración. Nos anima a ser cada día más como él por medio de asimilar su Palabra y dar cabida a su Espíritu para que more en nosotros. Y nos ordena que compartamos con los demás lo que significa él para nuestras vidas. Es esa asociación con Dios, que nos ama, lo que nos impide ignorar a los que nos presentan la mayoría de los desafíos en la vida.

A veces nos consideramos incapaces de mantenernos a tono con Cristo y de lidiar con los desafíos que son las personas. Clamamos a Dios cuando las presiones resultantes de las relaciones humanas aumentan: "No aguanto más estas presiones. No he sido hecho a prueba de gente." No obstante, Dios sigue probándonos rodeándonos de todo tipo de gente. Dios no nos moldeó para ser islas solitarias. Nos diseñó de manera que nos relacionemos con gente de todo tipo, aun las que nos prueban la paciencia. Ninguno de nosotros, ni siquiera el más ocupado o introvertido, puede dejar de ser una persona en relación con otras. Llevarse bien con las personas, ayudar a las personas, resolver nuestros problemas con las personas, disfrutar de ellas, consolarlas y guiarlas a Cristo es la razón por la cual fuimos creados. El amor requiere un receptor. Por eso es que Dios nos dio los unos a los otros.

Una clave vital del manual

Menos mal que Dios no nos diseñó para un ministerio persona-a-persona dejándonos luego sin ninguna indicación de cómo realizarlo. En su Palabra —el "manual del fabricante" sobre cómo hemos de llevar a cabo en el mundo el propósito para el cual fuimos creados— Dios ha provisto la llave maestra para relacionarnos con él y llevarnos bien con gente de todo tipo. La clave es el amor, y Dios escribió el libro sobre el amor. Literalmente. De tapa a tapa, la Biblia demuestra el amor de Dios por su creación humana; nos invita a tener la experiencia del amor de Dios personalmente por medio de su Hijo Amado, Jesús; nos ordena practicar el amor en todos los niveles de nuestras relaciones —humanas y divina— y nos da instrucciones y ejemplos para la práctica cotidiana del amor ético cristiano en nuestras relaciones. Amar es colaborar con el diseño singular de Dios para su creación humana y palpar la plenitud que resulta de vivir en los caminos de Dios. No amar es no cumplir el propósito de nuestra existencia y sentir mayormente frustración y dolor en nuestros contactos con nuestros semejantes.

El amor siempre tiene razón fue escrito para ayudar a entender y aplicar con más éxito este aspecto vital en su relación cotidiana con Dios y los demás. Los capítulos restantes enfocarán el tema de la siguiente manera.

* El amor es un absoluto moral universal. Amar siempre
  es lo bueno y no amar es siempre lo malo. Los capítulos
  2 y 3 colocan los cimientos para este diálogo sobre el
  amor al establecer la realidad de los absolutos morales y

los valores objetivos en un mundo empeñado en vivir una moralidad relativista y subjetiva.

* El amor es más que corazoncitos, flores y canciones románticas. El amor es acción y reacción consciente. Los capítulos 4 al 6 inclusive conectan una definición práctica, manejable del amor con la naturaleza de Dios y ofrecen un contraste entre el auténtico amor y los conceptos erróneos y ridículos que se han generalizado.

* El amor no es una opción para el cristiano. El mandamiento supremo de las Escrituras, tal como lo resumió Jesús, es amar a Dios y amar al prójimo. Los capítulos 7 al 11 inclusive presentan el imperativo del amor, delínean los diversos niveles y responsabilidades del amor y anclan al amor en la ley de Dios y en la vida ejemplar de Cristo.

* El amor es muchas veces difícil. A veces las obligaciones del amor se superponen y son conflictivas, dificultándonos la elección de lo que es la acción amante. Los capítulos 12 al 14 inclusive analizan al amor en conflicto y proveen principios sobre valores para poner en práctica el amor cuando los dilemas morales empañan nuestra vista.

* El amor nunca falla, pero a veces nosotros fallamos al no amar a Dios y a nuestros prójimos. A pesar de nuestras buenas intenciones, en ocasiones hacemos algo odioso o cruel. El capítulo 15 nos da pautas que nos ayudan a volver a centrarnos cuando fallamos al no amar como debemos o cuando otros fallan al no amarnos como deben.

* El amor tiene infinidad de aplicaciones. Es imposible anticipar cada pregunta sobre cómo el amor responde en las variadas relaciones, situaciones y conflictos. Pero hemos tratado de identificar una diversidad de preguntas. Cada capítulo termina con una sección de "preguntas difíciles y respuestas sin rodeos" en la cual se enfocan algunas de las aplicaciones más complejas del amor.

¿Qué importancia puede tener el amor? Para Sergio y Luisa, el amor de extraños significó la diferencia entre la vida y la muerte. Su "historia de amor" es real.

Un viernes en la mañana en la primavera de 1970, una joven pareja de "hippies" de la gran ciudad apareció en la entrada del pequeño templo rural. Hacía dos años que Sergio y Luisa vivían juntos, y Luisa estaba embarazada de seis meses. "Nos queremos casar lo más pronto posible", le dijeron al pastor en su oficina. El pastor se sintió bastante enojado por esta interrupción causada por los harapientos "niños de las flores" que parecían considerar a su lindo templo nada más que como una capilla para casarse "al paso". Con la esperanza de que una demora los desanimaría, les dijo: "Si vienen ustedes al culto el domingo, los caso después del culto de la mañana." El pastor estaba muy seguro de que no volvería a verlos.

Sin embargo, el domingo en la mañana, al pasear su mirada por la congregación, vio a la parejita, todo un espectáculo con su cabello largo y sus pantalones "hippies". Al terminar el servicio y cuando la mayoría se había retirado, Sergio y Luisa se encontraron frente al púlpito con el pastor para tener su sencilla ceremonia. Cuando los miembros de la congregación vieron que se estaba por realizar un casamiento, unos treinta volvieron a entrar al templo, felices de participar en el festejo de estos extraños.

—¿Qué hacen aquí? —preguntó Luisa extrañada.

—Supongo que sencillamente sienten afecto por ustedes —contestó el pastor.

Después de la breve ceremonia, Marta, una hermana de la congregación, se puso de pie y preguntó a los recién casados:

—¿A dónde van de luna de miel? —Marta y su esposo habían celebrado sus veinticinco años de casados hacía apenas unos días.

—No sé —contestó Sergio encogiéndose de hombros—. Quizá de "camping" a las montañas.

—Bueno, pero primero necesitan una comida y una torta de boda —anunció con una cálida sonrisa—. Se vienen con nosotros a casa para comer. Es más, están todos invitados a casa para el almuerzo.

Mientras el pastor estaba ocupado con la pareja llenando y firmando el certificado de casamiento, Marta rápidamente organizó una comida pidiendo a cada uno que trajera lo que pudiera. Cuando los recién casados y el pastor al rato llegaron a la casa de Marta, la mesa ya estaba puesta, llena de emparedados y ensaladas. En el centro de la mesa, estaba el último piso de la torta de aniversario de Marta y su esposo.

Los festejos duraron seis horas. Tomaron la comida y la torta, y los novios fueron aplaudidos y felicitados. Se retiraron esa noche felices por la hospitalidad cariñosa de la pequeña congregación.

Veinticinco años después, una pareja de mediana edad, llegó en su auto al mismo pequeño templo de la iglesia de campo. Le explicaron al pastor actual que veinticinco años atrás se habían casado allí y que habían sido abrazados por una congregación cariñosa en el día de su boda.

El pastor nunca había oído la historia de ellos, pero una mujer que estaba trabajando en la oficina escuchó la conversación.

—Yo me acuerdo de ustedes —le dijo al matrimonio—. Yo estuve presente aquel día y me quedé para el casamiento. Marta todavía vive aquí. Vengan, vamos a comer y así podemos conversar.

Buscaron a Marta y, sentados con las dos ancianas, Sergio y Luisa les contaron su historia. Los primeros once años de su matrimonio habían sido un desastre. Sergio andaba en drogas y Luisa era alcohólica. Un día, con sus vidas al borde del abismo, Sergio había dicho: "Hemos asistido a una iglesia una vez en nuestra vida: el día que nos casamos. Fue una experiencia hermosa. Quizá debiéramos volver a ir." Comenzaron a asistir a una iglesia cerca de su casa, entregaron sus vidas a Cristo y fueron transformados.

—Estamos celebrando nuestras Bodas de Plata —dijo Sergio— y quisimos volver a la pequeña iglesia que significó tanto para nosotros.

En la actualidad Sergio y Luisa son consejeros cristianos de drogadictos en la ciudad. Reconocen sin ambages que fue el amor y la aceptación de dos sucios "hippies" por parte de aquella congregación campesina lo que a la larga transformó sus vidas y salvó su matrimonio.

Estamos rodeados de gente como Sergio y Luisa que necesitan un amor auténtico, transformador. Cada uno de nosotros tiene la oportunidad de ser todos los días una Marta para alguien a nuestro alrededor. Dios quiera que las páginas que siguen le inspiren a usted y le capaciten para poder ir juntando una antología siempre creciente de historias de amor que protagoniza junto con las personas con quienes entra en contacto.

2

¿Qué tiene de bueno o de malo este cuadro?

Horacio entró en la oficina de su jefe a las cuatro de la tarde, la hora exacta que éste le dijera que se presentara para una breve reunión. Siendo un diseñador capacitado y valorado en la compañía, Horacio suponía que lo había citado para volver a mostrarle su aprobación. Su jefe era bueno para reconocer a los empleados por sus éxitos y, en los últimos cuatro años, él había dado muchas satisfacciones a su superior.

El supervisor estaba hablando por teléfono, así que le hizo una señal para indicarle que cerrara la puerta y tomara asiento. Sentándose en la mullida silla miró a su jefe con sincero aprecio. No era únicamente su jefe, sino que estaban llegando a ser amigos. Habían concurrido juntos a varias actividades deportivas y Horacio pensaba invitarlo a él y a su esposa a su iglesia cuando se presentara la ocasión apropiada. No habían hablado de religión todavía pero Horacio esperaba hacerlo pronto. La posibilidad de algún día trabajar bajo un supervisor *cristiano* lo emocionaba.

El jefe terminó su conversación y colgó el teléfono. Se apretó las sienes como si le doliera la cabeza. No parecía nada contento. Horacio se quedó esperando. Por fin, su jefe dijo:

—El Departamento de Personal me ha ordenado que nos anotemos para un cursillo.

Horacio y su jefe habían asistido juntos a muchos seminarios y cursillos pagados por la compañía. Los habían disfrutado, por lo general, hasta jugando al tenis en los ratos libres. Pero se veía que su jefe no estaba nada entusiasmado con el próximo cursillo.

—¿Cursillo? ¿Clases de qué? —preguntó Horacio.

Su jefe suspiró profundamente y volvió a apretarse las sienes.

—Dice Bertelli que tienes que tomar un curso de capacitación en sensibilidad, y yo tengo que acompañarte —dijo rehuyendo la mirada de Horacio.

Horacio irguió la cabeza, súbitamente perplejo:

—¿Capacitación en sensibilidad? ¿Yo?

Su jefe asintió lentamente con la cabeza.

—No entiendo, jefe. Capacitación en sensibilidad es para los empleados que no encajan: los impulsivos, los intolerantes, los tipos que hostigan a sus secretarias. Esto, ¿a qué viene?

Su jefe seguía evitando su mirada.

—¿Te acuerdas de una conversación que tuviste hace dos semanas con Roberto Romano de la compañía Repuestos Precisión?

—¿Qué conversación? —respondió Horacio riendo—. Hablo con Romano dos o tres veces por semana: en su oficina, en la mía, por teléfono. Repuestos Precisión es uno de nuestros proveedores principales. ¿Cómo voy a recordar una conversación en particular?

—Me refiero a una conversación específica —insistió el jefe, mirando por fin a Horacio—, la conversación en que tú y Romano hablaron de su... estilo de vida.

De pronto, los ojos de Horacio parecían salírsele de las órbitas.

—¿Cómo se enteró de eso?

El jefe no hizo caso a su pregunta.

—¿Le dijiste a Romano que no aprobabas su homosexualidad?

Horacio pestañeó, sorprendido por la pregunta.

—¿Qué está queriendo decirme? ¿A qué viene todo esto?

El jefe tomó unos papeles. Era un extenso memo del Departamento de Personal. Luego, preguntó nuevamente:

—Tengo que saberlo, Horacio. ¿Es verdad o no que le dijiste a Romano que no aprobabas su homosexualidad?

Horacio levantó las manos, palmas arriba, en un gesto de inocencia.

—Dio la casualidad que Roberto mencionó ese día que era homosexual, aunque yo ya me lo imaginaba. Conversamos un rato del asunto y después le comenté algo como: "Te acepto como persona y me gusta trabajar contigo. Pero no concuerdo con tu práctica homosexual." No le dije nada insultante, ni se me ocurriría. Simplemente le di mi opinión sobre su estilo de vida homosexual. ¿Qué problema puede haber con eso?

El jefe se recostó sobre el respaldo de su silla de ejecutivo y miró pensativamente el cielo raso.

—Sí, parece que alguien tiene un problema con eso. Romano se lo informó al jefe de su sección y....

—¿Informó? —interrumpió Horacio levantando la voz—. Pareciera que estuviera hablando usted de un crimen. Simplemente conversábamos y simplemente le di mi opinión. Roberto no pareció afectado para nada.

El jefe le hizo una seña con la mano indicándole que lo dejara continuar.

—El director de Repuestos Precisión llamó al nuestro; luego él llamó a Bertelli del Departamento de Personal, y yo recibí este memo.

—¿Y el memo dice...? —inquirió Horacio.

—El memo dice que tienes que asistir al curso sobre sensibilidad. Y como estás en mi departamento, y por lo visto yo no te instruí bien en cuanto a la tolerancia, tengo que acompañarte.

Horacio dio un respingo:

—¿Tolerancia? —exclamó con mal disimulada irritación—. ¿Qué quiere decirme con esto de tolerancia? Soy una de las personas más tolerantes que usted jamás conocerá. Soy cristiano. Acepto a todos por igual, aun a los que son distintos de mí, como Roberto Romano.

—Pero no apruebas su estilo de vida —interrumpió el jefe.

—Por supuesto que no. La homosexualidad es una desviación sexual —dijo Horacio.

—¿Según quién?

—La Biblia dice que es malo, así de claro. Y el sentido común nos dice que es anormal. La anatomía masculina y femenina...

El jefe movió la cabeza de un lado a otro lentamente en señal de desaprobación.

—Eso es intolerancia. No puedes decir eso, especialmente en tu lugar de trabajo. Por eso es que tienes que tomar este curso sobre sensibilidad que, dicho sea de paso, será enseñado por una mujer lesbiana.

—¿Lesbiana? —exclamó Horacio sorprendido—. ¡No puedo creerlo!

Se puso de pie y empezó a caminar de un extremo al otro de la amplia oficina.

—¿Se puede saber de dónde han sacado usted y el Departamento de Personal su definición de "tolerancia"?

—Nada menos que del nuevo manual de reglamentos de la compañía. ¿No lo has leído?

—Este... bueno lo tengo en mi archivo.

—Bertelli cita una sección en su memo —dijo el jefe. Y leyó en voz alta—: "Los dueños y la gerencia de la compañía afirman que los valores, creencias y estilos de vida de sus empleados, proveedores y clientes tienen igualdad y no serán cuestionados. Cualquier empleado que demuestra actitudes discriminatorias o intolerancia hacia otros empleados, proveedores o clientes estará sujeto a medidas disciplinarias, incluyendo el despido."

Horacio dejó de caminar:

—¿Eso quiere decir que me pueden despedir simplemente por decir lo que creo?

—No, significa que te pueden despedir por afirmar o inferir que tus creencias tienen más méritos que las creencias de los demás.

Horacio extendió los brazos como rogando por su caso.

—Lo único que dije fue que no concuerdo con el estilo de vida de Roberto Romano.

El jefe se inclinó hacia adelante en su silla, tomó un lápiz y señaló con la punta a su subalterno.

—No puedes hacer eso —dijo con una firmeza que Horacio rara vez había visto en su jefe—. Es "políticamente incorrecto", como dicen. Es menoscabar a otros. Les hace sentir distintos, inferiores, oprimidos. Tenemos que aplaudir la diversidad, elogiar la singularidad de los demás.

—No puedo creer lo que estoy oyendo —dijo Horacio sacudiendo la cabeza—. ¿No basta con aceptar a Roberto Romano como persona; tengo que aplaudir que sea homosexual, aunque creo que no está bien ser homosexual?

Su jefe asintió firmemente.

—¡Eso es ridículo! —explotó Horacio.

—No, eso es tolerancia —contestó el jefe haciendo rebotar el borrador del lápiz sobre el escritorio para enfatizar lo que estaba diciendo.

—Pues a mí me parece una locura —siguió argumentando Horacio—. Lo que usted llama tolerancia arrasa con los límites de lo que es bueno y lo que es malo.

—Espera un momento —interrumpió el otro, sin disimular ya su irritación—. ¿Quién puso a los cristianos como la autoridad sobre lo que es bueno o es malo para todos?

—No se trata sólo de los cristianos. Ciertas cosas son buenas y ciertas cosas son malas. Siempre ha sido así. El homosexualismo es malo. El aborto es malo. La eutanasia...

El jefe se puso de pie de un salto interrumpiendo enojadísimo a Horacio.

—¿Qué derecho tienes tú para decirme que sea malo que mi esposa haya tenido un aborto? El feto tenía daños cerebrales, un examen dio pruebas de ello. Salvamos a ese niño de una vida corta, dolorosa y sin sentido, y nos ahorramos nosotros el largo sufrimiento que una vida así nos causaría. Nadie puede venir a decirme lo que está bien para mí: ni tú ni tu subcultura religiosa conservadora. Yo mismo determino lo que es bueno y lo que es malo para mí. Tengo que admitir que me alegra ver que la sociedad se está librando de la intolerancia deshumanizante de los valores cristianos.

Horacio se quedó mudo. Después de un instante preguntó:

—Entonces, ¿usted está de acuerdo con el manual de reglamentos y la decisión del Departamento de Personal en cuanto a mí y a Roberto Romano?

—Ciento por ciento. Así son las cosas, Horacio, y si no puedes amoldarte a esto, tu carrera en esta compañía puede ser más breve de lo que habías pensando.

Tomar partido respecto a lo que es bueno y lo que es malo

La anécdota es ficticia. Pero si el encontronazo de Horacio con su jefe le suena demasiado raro como para ser verdad, le espera una sorpresa. Si no cree usted que cada día suceden choques de valores en los negocios, el gobierno, la educación y las relaciones, está viviendo en un mundo irreal. Si da por hecho que lo bueno y lo malo son tan claros como blanco y negro para todos como lo son para usted, entonces es demasiado inocente. Si cree que la conciencia del mundo occidental todavía es guiada por la verdad objetiva, la honradez, la pureza moral y la Regla de Oro, tiene que observar más detenidamente cómo vive la gente a su alrededor. Y si sus valores cristianos no han sido desafiados o ridiculizados como algo pasado de moda o irrelevante por algún vecino, compañero de trabajo o de estudio, o su lámpara está debajo del almudo las personas con quienes tiene contacto cotidianamente son ciegas y sordas.

Los tiempos han cambiado. Hasta la década de 1960 los valores cristianos eran reconocidos y aceptados. Los valores cristianos eran considerados buenos; los valores en oposición a ellos eran considerados malos.

Pero hace unas tres décadas comenzó una transición hacia lo que el pensador cristiano Francis Schaeffer ha llamado la "era poscristiana". La población no cristiana se volvió apática hacia la iglesia, las premisas de la Biblia y los valores sociales que de ellas se derivan. La asistencia a las actividades de las iglesias bajó, pero los cristianos todavía eran tolerados por los que se habían alejado del cristianismo. "La creación que relata el Génesis es un mito, la resurrección de Cristo es una fábula y el estilo de vida cristiano es una muleta para los débiles mentales", declaraban, "pero ustedes los cristianos pueden creer lo que quieran, siempre que no traten de imponernos sus creencias, porque ya no nos convencen".

La actitud de "vivir-y-dejar-vivir" del mundo hacia los cristianos y su escala de valores siguió durante las décadas de 1970 y 1980. Pero en la última década del siglo veinte, parecemos haber tocado fondo. La sociedad ha comenzado un período que muy bien podemos llamar "la era anticristiana". Como lo ilustra el choque de Horacio con su jefe, la apatía hacia los cristianos y sus creencias se está convirtiendo en antagonismo. El conflicto entre ideologías está cambiando de contenido a estilo. No es *lo* que creemos lo que molesta a los no cristianos en la actualidad. Nos atacan porque consideramos que nuestras creencias y nuestros valores son universales y por no aceptar los valores y las decisiones que otros toman en cuanto a su estilo de vida, aun cuando están en oposición a las Escrituras. El mundo reclama con ira, como lo hizo el jefe a su subordinado: "¿Quién puso a los cristianos como la autoridad sobre lo que es bueno o es malo para todos?"

En el centro del conflicto están los absolutos morales, porque los absolutos forman la base de lo que es bueno y lo que es malo. No obstante, no todos aceptan en la actualidad la existencia de absolutos, y algunos que los aceptan no creen que tengan una aplicación universal, como bien descubrió Horacio durante su acalorada conversación con su jefe.

¿Cuál ha sido su experiencia? ¿Le resulta difícil aceptar la realidad de los absolutos morales en la vida? ¿Es todo cambiante, relativo al momento, a la situación o a las personas involucradas? ¿O existen constantes eternos que gobiernan la experiencia humana y guían sus decisiones? ¿Puede una conducta ser buena para una persona y mala en el caso de otra? ¿Puede una conducta que era mala en cierta época o en una cierta situación ser buena en otra? ¿Es apropiado usar palabras como *nunca* y *siempre* al hablar sobre lo bueno y lo malo? Estas preguntas y sus respuestas son críticas a la supervivencia del cristiano en una sociedad cada vez más anticristiana. Y son vitales para establecer el fundamento del amor ético cristiano que presentaremos en los capítulos siguientes.

Es absolutamente imposible negar los absolutos

El escepticismo respecto a los absolutos no es un fenómeno de ahora. Unos 500 años antes de Cristo, el filósofo griego Heráclito teorizaba: "Nadie entra dos veces en el mismo río porque siempre lo cubren aguas nuevas." Argumentaba que todo va cambiando: nada es permanente y duradero; nada es inmutable excepto el cambio mismo. Cratilo, sucesor de Heráclito, fue más allá con ese argumento. Afirmaba que nadie entra al mismo río más de una vez. No hay esencia ni sustancia en la vida, sólo movimiento. Cuando le preguntaron si él existía, Cratilo sencillamente movió un dedo, indicando que él también estaba en un estado de constante cambio.

En épocas más recientes, dos influencias han apoyado el concepto de que vivimos en un vacío moral sin absolutos. Los antropólogos han llegado a la conclusión de que muy poca, si acaso alguna, conducta humana es juzgada incorrecta por todas las personas en todas partes. El robo, la mentira, el engaño y la infidelidad se consideran como algo malo en la mayoría de las culturas, pero se han observado e informado de excepciones. Aun los tabúes morales de siempre, como el homicidio e incesto, son considerados como algo que está bien en algunas tribus. No es raro que algo que un pueblo cree malo sea considerado por otro pueblo como algo bueno. Súmese a este aparente relativismo cultural la relatividad de tiempo y espacio propuesto por Albert Einstein, y es fácil entender por qué en la actualidad hay tanta oposición a la idea de los absolutos universales.

Negar que cualquier conducta es absolutamente buena o mala en sí se hace también evidente en la aceptación generalizada de una ética dependiente de la situación ("situacional"), popularizada por Joseph Fletcher en la década de 1970. Para Fletcher, la moralidad no era estática sino relativa a cada situación. Enseñó a sus discípulos: "En toda situación moral, haz lo que sea dictado por el amor." Suena maravilloso, ¿verdad? Pero, según Fletcher, lo que se considera como amor no es absoluto sino relativo. Explicaba que en algunas situaciones, el adulterio es la respuesta amorosa y robar es el bien más elevado. Aun matar puede justificarse bajo ciertas circunstancias, según Fletcher. Ninguna acción es intrínseca y absolutamente buena o mala para todas las personas en todo momento y bajo todas las circunstancias. La moralidad personal es más bien como la arcilla blanda que como el mármol; puede ser moldeada y formada para conformarse a cada situación.

Mucha de la sociedad actual, en armonía con los descubrimientos antropológicos y la ética "situacional", coincide en que no existen absolutos morales para gobernar la conducta humana. No obstante, hay una sutil y notable contradicción en dicha negativa. No hay manera de negar los absolutos sin valerse de un absoluto. Es como decir: "Nunca digas la palabra *nunca*" o "Es siempre incorrecto decir *siempre*". Cuando alguien insiste en que los absolutos no existen, ¡sin querer admite por lo menos uno! En realidad, no hay manera de evitar los absolutos.

Aun Heráclito admitió que había una ley inmutable —que él llamó *logos*— que rige el cambio perpetuo de la vida. Einstein reconocía que todas las cosas no pueden ser relativas. Postuló un Espíritu (Dios) absoluto al cual todo lo demás es relativo. Al fin y al cabo, no tiene sentido decir que A es relativo a B y C es relativo a D a menos que exista una norma a la cual A, B, C y D son todas relativas. El cambio absoluto no es más posible que levantar al planeta Tierra con una tabla de madera y un fulcro. Aun el cambio es imposible a menos que haya una base inmutable en relación con la cual el cambio puede medirse.

Podemos ilustrar el dilema del relativista con el cuento de Winnie Pooh, el osito comilón y su amigo el conejo. Eternamente con hambre, el osito va a la casa del conejo buscando algo para comer. Llama a la puerta y el conejo, que no tiene la intención de darle de comer, grita: "No hay nadie en casa." El osito responde: "Alguien tiene que haber si no no podría decir 'No hay nadie en casa'."

El osito tiene razón. El conejo no puede negar su presencia a menos que esté presente para negarlo. De la misma manera, los que niegan la existencia de absolutos no pueden proponer que todas las cosas son relativas a menos que exista alguna base inmutable sobre la cual apoyar su afirmación. No tiene sentido declarar que todo es relativo y a la vez no admitir que esa posición es igualmente relativa. En realidad, el relativista se para sobre el pináculo de su propio absoluto a fin de afirmar que todo lo demás es relativo.

La verdad acerca de la verdad absoluta

Horacio le dijo muy seguro a su jefe: "Ciertas cosas son buenas y ciertas cosas son malas. Siempre ha sido así." Pero ¿cuáles son esas "ciertas cosas"? Una vez que admitimos, como tenemos que hacerlo, que los absolutos existen, ¿a dónde los buscamos? ¿Quién o qué determina lo que es bueno y lo que es malo? ¿Existen alternativas en las normas para distintas culturas, distintas épocas y distintas partes? ¿Es la creencia en la verdad absoluta una opinión subjetiva o una norma objetiva? Si no ha enfrentado y contestado usted estas preguntas, tendrá que hacerlo a medida que nuestra sociedad siga apartándose de los absolutos y de los valores cristianos aceptados. Y si no le ha tocado tener un diálogo o argumento con algún inconverso como el de Horacio y su jefe, no dude que le llegará el momento, especialmente si cree en los absolutos.

Responderemos a estas preguntas básicas someramente. Si tiene usted interés en ahondar en el tema, le recomendamos el libro *Es bueno o es malo* por Josh McDowell y Bob Hostetler.[1]

La verdad absoluta es objetiva, no subjetiva

Durante la guerra en Vietnam, yo (Josh McDowell) fui entrevistado por una reportera del periódico *Boston Globe* después de una concentración en pro de la libertad de palabra. Ella se expresaba con firmeza contra la guerra y contra matar, así que decidí hacer el papel de "abogado del diablo" a fin de descubrir en qué basaba sus convicciones.

—¿Qué problema hay con matar? —le pregunté.

—Matar es malo —insistió la reportera.

Seguí insistiendo:

—¿Por qué es malo?

—Porque sencillamente es malo —dijo, un poco molesta de que le preguntara lo que era obvio.

Pero seguí presionándola:

—¿Quién se lo dijo?

—Mis padres me enseñaron que la guerra y matar es malo.

—¿Y dónde aprendieron sus padres las supuestas maldades de la guerra y de matar?

—De los padres de ellos —contestó ella—. Mi familia siempre ha creído que la guerra es mala.

Seguí insistiendo:

—¿Lo que me quiere decir es que es malo que yo vaya a la guerra porque eso es lo que sus abuelos le enseñaron a sus padres y sus padres le enseñaron a *usted*? ¿Y qué de la gente a quien se les ha enseñado que la guerra y matar es lo justo y lo bueno? ¿Qué de los padres nazis que enseñaron a sus hijos que matar a los judíos era lo bueno? Si la guerra fuera mala, ¿no lo sería en todas las sociedades?

---

1. Publicado por Editorial Mundo Hispano: El Paso, Texas.

La reportera no pudo responder. Su fuerte convicción se basaba en un fundamento débil: en una opinión subjetiva en lugar de una norma objetiva. Cuando lo bueno y lo malo se determinan subjetivamente, la idea de una persona sobre moralidad es tan válida como la de otra. El razonamiento, los condicionamientos y los sentimientos humanos hacen que algunos crean que una acción es mala mientras que otros están igualmente convencidos de que es buena. Sin pautas externas de conducta, uno puede convencerse de creer que casi cualquier cosa es buena o mala.

La verdad absoluta es una norma objetiva, algo fuera de nosotros mismos. Lo bueno y lo malo no son conceptos que aceptamos por la fuerza del voto de la mayoría, ni se mantienen ni caen por lo que la gente crea o sienta que es bueno en ese momento. Las pautas morales y éticas fundamentales que proceden de la verdad absoluta deben mantenerse independientemente de cualquier opinión personal.

La verdad absoluta es universal, no limitada

Cuando algo es absolutamente bueno, es bueno para todas las personas en todas partes bajo todas las condiciones. La verdad absoluta no cambia de una persona a otra ni de un lugar a otro. Si algo es considerado bueno por una sociedad pero declarado malo por otra sociedad, no sería un absoluto. Si una acción es considerada buena por algunos mientras que esa misma acción es considerada mala por otros, no sería un absoluto. Si es buena en algunas situaciones y mala en otras, no sería un absoluto. Si es buena en este país pero mala en otro, no es un absoluto. Las pautas morales no pueden ser alteradas para adecuarse a ciertas culturas o lugares. Más bien son las personas y los lugares que tienen que cambiar para acomodar a lo que es absolutamente bueno o malo.

La verdad absoluta es constante, no variable

Lo bueno y lo malo son eternos. Lo bueno *era* bueno en el pasado, *es* bueno en el presente y *será* bueno en el futuro. No cambia de un día para otro, de un año para otro, de una década para otra ni de un siglo para otro. Lo bueno y lo malo no varían con las épocas ni cambian para estar de moda. La verdad es constante y segura.

La verdad absoluta personificada

¿Dónde podemos encontrar las pautas para los absolutos morales y éticos que se aplican a todas las personas, a todas las épocas y a todos los lugares? Los siguientes párrafos del libro *Es bueno o es malo* de Josh MacDowell nos dan la respuesta:

> Es imposible llegar a una norma objetiva, universal y constante de la verdad y la moralidad sin incluir a Dios en la escena. Si existe una norma objetiva de la verdad y la moralidad, no puede ser producto de la mente humana (o no sería objetiva); debe ser producto de otra Mente. Si existe una verdad constante e inmutable, debe ir más allá de los esquemas temporales humanos (o no sería constante); debe ser eterna. Si existe una regla universal del bien y del mal, debe trascender la experiencia individual (o no sería universal); debe estar por encima de todos nosotros. Sin embargo, la verdad absoluta debe ser algo, o Alguien, que sea común a toda la humanidad, a toda la creación.
>
> Estos requisitos para una norma de la verdad y la moralidad, sólo se encuentran en una persona: Dios. El es la Fuente de toda verdad. Moisés dijo: "El es la Roca, cuya obra es perfecta...un Dios fiel, en quien no hay iniquidad; es justo y recto (Deut. 32:4). La naturaleza y el carácter de Dios son lo que definen la verdad. El define lo que es bueno para todas las personas, en todos los tiempos, en todos los lugares... La verdad es objetiva porque Dios existe fuera de nosotros mismos; es universal porque Dios está sobre todo; es constante porque Dios es eterno. La verdad absoluta es absoluta porque se origina en el original.

La verdad absoluta no es principalmente una ideología o un frío código moral. La verdad absoluta es ante todo y sobre todo, una persona. La base de todo lo que llamamos moral y bueno y recto es el Dios eterno que nos creó. La verdad no es algo que él decide; la verdad es algo que él es. Por eso Jesús dijo: "Yo soy... la verdad" (Juan 14:6). Ciertas actitudes y acciones son buenas porque reflejan la naturaleza de Dios. De la misma manera, las actitudes y acciones que son contrarias a la naturaleza de Dios son malas.

Por ejemplo, todos tienen un sentido interior de lo que es justo o injusto porque el Dios que nos creó es un Dios justo. El amor es valorado y el odio es rechazado porque Dios es un Dios de amor. La honradez es buena y el engaño es malo porque Dios es recto y veraz. La pureza sexual es buena y la promiscuidad es mala porque Dios es puro y santo. Toda vez que decidimos involucrarnos en algo que es contrario a la naturaleza de Dios, escogemos lo que es falso y malo.

Hay otra manera de considerar los temas de la verdad y del bien y del mal tal como se aplican a las áreas críticas, prácticas de la vida y a las relaciones cotidianas del cristiano. ¿Qué daría usted por tener la llave maestra que abre la puerta a la respuesta correcta en cada dilema moral que enfrenta? En las Escrituras, Dios nos ha dado una llave: el amor. El amor es la pauta que todo lo cubre, emanando de la naturaleza de Dios, que nos ayuda a discernir entre lo bueno y lo malo a un nivel práctico, cotidiano. En el próximo capítulo investigaremos esta llave maravillosa para tomar las decisiones correctas en cualquier y toda situación.

Preguntas difíciles y respuestas sin rodeos sobre la verdad absoluta

1. *¿Y qué de los que no creen en Dios o la Biblia? ¿Cómo podemos convencerles de que acepten a Dios como el origen de la verdad absoluta?*

Primero, razone con ellos. Toda legislación tiene un legislador. No puede haber una ley moral absoluta sin un Dador absoluto de la Ley Moral, y éste es Dios. Si necesitan una explicación más detallada, sugiérales leer *Cristianismo y nada más* por C. S. Lewis, el ex ateo de Oxford.

Segundo, viva la verdad. Tiene usted que vivir lo que es bueno si quiere que su prójimo crea en lo que es bueno. Si sus familiares, amigos, compañeros de estudio, de trabajo y vecinos inconversos no pueden ver amor y una conducta recta en acción en su vida, si no pueden ver la diferencia en cómo usted enfrenta las dificultades y dilemas de la vida, no se convencerán. Por ejemplo, puede hablar todo lo que quiera de la importancia de la integridad y honestidad. Pero si no es absolutamente veraz en sus negocios, apartará a sus colegas y clientes de Dios como fuente de la verdad en lugar de acercarlos a él. Si copia en los exámenes o en la declaración sobre impuestos de la renta o hace que sus hijos, cuando contestan el teléfono, digan que usted no está cuando en realidad sí está, no puede esperar que sus familiares sigan la verdad. Si los valores absolutos no se manifiestan en su experiencia cotidiana, nunca convencerá a nadie de que los acepten y los practiquen.

En tercer lugar, desafíelos a ser francos y sinceros, a leer y dar una oportunidad a la Biblia. La Palabra es poderosa (Heb. 4:12), y Dios puede obrar por su intermedio aunque no crean lo que dice.

2. *Creo que yo sé lo que me conviene a mí. ¿Por qué tengo que andar buscando valores absolutos fuera de mi propio conocimiento y experiencia? ¿Por qué son los valores objetivos superiores a valores subjetivos?*

Los valores subjetivos son un contrasentido, sus vocablos son conflictivos. *Subjetivo* se refiere al pequeño círculo de comprensión, experiencia o sentimientos personales de un individuo. *Los valores* no pueden ser exclusivos de un individuo. Como lo hemos demostrado en este capítulo, lo bueno y lo malo existen independientemente de la opinión personal. Los valores definitivos están fuera de nosotros, encima de nosotros y más allá de nosotros. No juzgamos lo que es verdad por lo que pensamos, sentimos y hacemos; juzgamos lo que pensamos, sentimos y hacemos según lo que es recto y veraz. Los valores morales no son *determinados* por nosotros, nosotros simplemente *los descubrimos*.

3. *¿Cuál es el papel de la conciencia en determinar lo que es bueno, recto y correcto?*

La conciencia juega un papel en ayudarnos a discernir entre lo bueno y lo malo, pero no es el papel que muchas veces le asignamos. La conciencia humana es un sistema interno de dirección instalado por Dios en la creación para proveernos de un sentido básico de lo bueno y lo malo. Pero la conciencia puede ser condicionada y amoldada según vamos reaccionando a lo que es bueno. Pablo destacó lo frágil de la conciencia al escribir: "El que mi conciencia no me acuse de nada no signi-

fica que Dios me considere libre de culpa" (1 Cor. 4:4, DHH).
Algunos tienen "cauterizada" la conciencia (1 Tim. 4:2), por lo
que les es imposible distinguir claramente lo bueno y lo malo.
No obstante, Dios ha revelado su ley moral a toda la humanidad. Sí, la ha escrito en sus corazones (Rom. 2:15).

Lo ideal es que, al buscar alguien a Dios y al ser receptivos
a su Palabra a lo largo de los años, su conciencia sea moldeada por la verdad divina, capacitándolo para tomar las decisiones correctas. Los individuos que viven juntos forman sociedades y la sociedad occidental fue originalmente condicionada por los valores cristianos enseñados en la Biblia. Pero
los individuos y las sociedades pueden llegar a tener una conciencia cauterizada o apagada al hacer caso omiso de la verdad o deliberadamente elegir lo que es malo. Por eso es que
muchas de nuestras naciones se han desplazado desde la era
cristiana y la era poscristiana a la era anticristiana.

Hemos dejado que nuestra conciencia nacional e individual se apagaran debido al orgullo y por ir en pos de lo mun-
danal. En muchas cuestiones tenemos a nuestros valores
"patas para arriba". Lo bueno es malo y lo malo es bueno.
Tomemos el aborto, por ejemplo. Cientos de miles de mujeres
creen que está bien quitarle la vida a un niño antes de nacer.
El sistema interno de dirección programado originalmente
contra el homicidio tiene un cortocircuito debido al egoísmo y
la avaricia. Una conciencia apagada es más un impedimento
que una ayuda para poder discernir entre lo bueno y lo malo.

La única manera que nuestra conciencia nos puede ayudar a discernir entre lo bueno y lo malo es que nos dejemos
moldear por la ley moral absoluta de Dios, escrita en nuestros
corazones y en su Palabra. Es claro que la mejor manera de
ser moldeados por la ley de Dios es exponer continuamente
nuestro corazón y mente a la verdad de la Biblia. Sólo en la
medida que nuestra conciencia reciba la información correcta
nos ayudará o nos será un obstáculo en nuestra búsqueda de
la verdad.

3

Es hacer siempre lo correcto

El hermano Barrón, nuevo maestro de la clase de jovencitos en la escuela dominical, decidió que la primera lección debía ser sobre la voluntad de Dios. Después de enseñar intensamente durante cuarenta y cinco minutos, concluyó la lección con una pregunta de aplicación: "¿Cómo podemos saber cuál es la voluntad de Dios para nuestras vidas hoy?" La mayoría de los alumnos tenía la mirada clavada en el piso o en sus Biblias, en silencio como lo estuvieron durante la clase. Pero un muchachito, con una sonrisa llena de seguridad, levantó entusiastamente la mano.

—A ver, dinos Darío —dijo el maestro con gran expectativa.

—Creo que la mejor manera de encontrar la voluntad de Dios es leyendo la Biblia y orando —dijo Darío sin titubear.

—¡Perfecto, Darío! —exclamó el hermano Barrón. El maestro se fue a casa ese día gozoso de que al menos había impresionado a uno de sus alumnos.

El siguiente domingo, el hermano Barrón enseñó acerca de la tentación, concluyendo:

—¿Cuál es la mejor manera de reconocer, como cristianos, a la tentación y resistirla?

Nadie pareció haber prestado atención durante la lección, pero una vez más, Darío levantó la mano.

—Hermano Barrón, si leemos la Biblia y oramos todos los días, no cederemos a la tentación.

—Gracias, Darío. Nuevamente tienes razón.

El maestro sonrió encantado y se fue a su casa contento por el éxito obtenido. El tema del tercer domingo era la fe.

—¿Cómo podemos aumentar nuestra fe? —concluyó el maestro posando su mirada en su alumno modelo. Darío no le falló.

—Leyendo la Biblia y orando, hermano Barrón; así es como aumenta nuestra fe.

El hermano Barrón después de estos tres exitosos domingos ya se creía el mejor maestro de escuela dominical en la iglesia.

Después de la clase llevó a Darío aparte:

—Te quiero agradecer, Darío, por prestar atención a la lección y por contestar las preguntas clave.

—No, si no presté atención —respondió Darío con la sincera desfachatez de que sólo es capaz un adolescente—. Me la paso pensando en el partido de fútbol de esta tarde, como todos los demás chicos.

La expresión del maestro cambió a una de sorpresa e incredulidad:

—Pero siempre tienes la respuesta correcta a mis preguntas. Algo tienes que estar escuchando.

—Hermano Barrón, vengo a la escuela dominical desde que nací. Lo único que sé es que "leer la Biblia y orar" es *siempre* la respuesta correcta —explicó Darío.

¿No le gustaría a veces que la vida fuera tan sencilla para usted como lo era la escuela dominical para Darío? ¿No sería maravilloso si en todos sus tratos, deliberaciones y dificultades con la gente hubiera siempre una respuesta correcta, una cosa correcta para hacer que diera resultado todas la veces? No queremos simplificar demasiado una cuestión tan vital, pero realmente sí hay una cosa universalmente correcta para hacer, que es aplicable y apropiada para todas las relaciones. El amor es la respuesta correcta. Amar es siempre la acción correcta. Tanto la sociedad como las Escrituras son testigos de que todos los absolutos morales se reducen a uno: Amar es siempre bueno; no amar es siempre malo.

Al final queda uno solo

En *Cristianismo y nada más*, C.S. Lewis menciona varios principios morales que no tienen ninguna excepción conocida a lo largo de la historia. Por ejemplo, ninguna sociedad en ninguna parte ha afirmado nunca que ser cruel con un niño o que la violación sean cosas buenas. Aunque muchas sociedades aprueban la guerra y la pena de muerte, ninguna civilización ha creído nunca que es correcto matar indiscriminadamente a cualquiera por cualquier razón o sin ella. Ni ninguna sociedad ha aprobado el que un hombre tome a cualquier mujer que quiere en cualquier momento. Siempre han existido límites en las relaciones y conductas humanas, aun en las que no son cristianas. Además, Lewis argumenta que los principios morales son parecidos de un pueblo a otro.

Esta similitud ha motivado a muchos pensadores a tratar de reducir todos los principios morales que son comunes a toda la humanidad a un solo absoluto moral básico, una cosa fundamentalmente correcta que hacer. El filósofo alemán Emmanuel Kant identificó a este principio moral absoluto como el "imperativo categórico", un deber incondicional que une a toda la humanidad. El imperativo categórico es uno de moralidad. Lo bueno y correcto es lo que uno puede esperar que todos hagan bajo las mismas circunstancias. En suma, es algo que uno puede universalizar para todos.

La manera de descubrir este deber fundamental, dijo Kant, es preguntarse con respecto a cada acción: "¿Quiero que la pauta en que se basa mi acción se convierta en una ley universal?" Si la respuesta es negativa, esa acción es mala. Tomemos la mentira, por ejemplo. No debemos mentir, diría Kant, porque si la mentira fuera universal, dejaría de existir la verdad sobre la cual mentir y, en consecuencia, mentir sería imposible. Que la mentira fuera universal sería contraproducente. De la misma manera, el homicidio es contraproducente y malo. Si el homicidio fuera una ley universal, con el paso del tiempo —hipotéticamente— ya no quedaría nadie a quien asesinar.

Kant también afirmaba que sacar un préstamo sin tener cómo pagarlo o sin la intención de hacerlo, viola el imperativo categórico. Si todos lo hicieran, toda la institución de promesas humanas se derrumbaría. También llegó a la conclusión de que es inmoral que los que tengan recursos se nieguen a ayudar a los que no tienen medios para subsistir. Por otro lado, si a uno le llega a faltar el sustento, afirmaba Kant, no podría recibir ninguna ayuda.

En el centro mismo del imperativo categórico de Kant se encuentra una ley moral irreducible: *Siempre trate a las personas como un fin en sí mismas, nunca como un medio.* Hay muchísimas maneras en que tratamos a otros como medios para lograr nuestros propósitos personales. Algunos son egoístas, pero muchos no. Uno va al banco y el cajero le hace la transacción debida. Uno va al mercado y los vendedores lo atienden, cobran y envuelven la mercancía. Uno va a un concierto sinfónico donde decenas de personas que uno no conoce personalmente lo entretienen con música hermosa. Ante la presencia de un sospechoso que merodea la casa, uno llama a la policía que se asegura de que todo esté bien. Aun en esos encuentros con servidores sin nombres y sin rostros, dice Kant, debemos tratar a otros seres humanos como un fin, valiosos en sí, no meramente como medios. Debemos actuar con cortesía, respeto, afecto, admiración o cualquiera de las muchas actitudes que llamamos amor.

Martin Buber, un filósofo judío del Siglo XX, también afirmaba como un absoluto moral el que los seres humanos deben ser tratados como un fin, no como un medio. Tenemos que mantener una relación de persona-a-persona, no de persona-a-cosa. Buber lo denominó "Yo-Tú" versus "Yo-Ello". Su jefe no es una máquina productora de sueldos a quien debe usted halagar o lisonjear para asegurar su seguridad económica personal. Su jefe es una persona que necesita comprensión y cariño. Sus empleados no son escalones en la escalera hacia el éxito; son personas que tienen familias, metas y sueños. El cobrador de impuestos no es un monstruo ávido de dinero sino una persona que necesita reconocimiento, amistad y ser aceptado, igual que usted. Las personas son para ser amadas, las cosas son para ser usadas. Nunca debemos usar a las personas y amar las cosas. Buber afirmó que "Yo-Tú" es una norma universal para el comportamiento humano de la cual no debe haber excepción alguna.

Una regla para todas las épocas

No se tiene que ser un filósofo ni un teólogo para darse cuenta de que el imperativo categórico de Kant y el "Yo-Tú" de Buber se parecen al antiguo principio conocido popularmente como la Regla de Oro. Jesús dijo: "Y como queréis que hagan los hombres con vosotros, así también haced vosotros con ellos" (Luc. 6:31). Es importante notar que en el contexto de esta declaración Jesús estaba dando instrucciones sobre el amor, especialmente el amor hacia aquellos a quienes menos tenemos disposición de amar. "Amad a vuestros enemigos y haced bien a los que os aborrecen; bendecid a los que os maldicen y orad por los que os maltratan... Porque si amáis a los que os aman, ¿qué mérito tenéis? Pues también los pecadores aman a los que los aman... Más bien, amad a vuestros enemigos y haced bien y dad prestado sin esperar ningún provecho" (Luc. 6:27, 28, 32, 35). No hay duda de que el homicidio, el engaño y el usar a otras personas no es amor porque nadie quiere que lo traten de esa manera. Despreciar a otros, calumniar a alguien, insultar al conductor de un auto por una mala maniobra o darle mal el cambio a un cliente no reflejan amor porque a nosotros mismos no nos gustaría ser tratados de esa manera. La Regla de Oro es el gran mandato de amor en la Biblia, la esencia de la ética cristiana del amor.

Hay un solo candidato viable para el absoluto moral irreducible y que todo lo abarca y que nunca puede estar mal. Es la pauta que incluye el imperativo categórico de Kant y el concepto "Yo-Tú" de Buber y los demás intentos por resumir la esencia de la conducta moral. Dicho sencillamente, debemos amar siempre. El amor es lo que nos permite tratar a los demás como un fin, no como un medio. La prueba definitiva de la moralidad es: "¿Actué movido por el amor?" El amor no es una manifestación de la Regla de Oro; la Regla de Oro es una manifestación del amor. Amar es siempre la manera correcta de proceder. Además, el amor es un absoluto sin excepciones. Se aplica a todas las personas en todo momento y en todas partes. Jesús contestó: "Amarás al Señor tu Dios con todo tu corazón y con toda tu alma y con toda tu mente. Este es el grande y el primer mandamiento. Y el segundo es semejante a él: Amarás a tu prójimo como a ti mismo" (Mat. 22:37-39).

Aunque no hay excepciones al imperativo moral de amar, por cierto que hay alternativas, tales como la indiferencia y el odio. Pero estas alternativas son contraproducentes. Aun los que practican la indiferencia y el odio se quejan cuando a ellos mismos los tratan con indiferencia u odio. O sea que podemos de alguna manera sentirnos justificados en despreciar a otros o en hablar mal de ellos o de insultarlos. Pero si ellos nos hacen algo así a nosotros, sentimos que han sido injustos sea que hayamos o no provocado esas acciones.

Además, si todos practicaran la indiferencia y/o el odio, las relaciones humanas significativas se anularían por completo. Tales acciones no sólo no pasan la prueba de la Regla de Oro sino que violan el imperativo categórico de Kant y el "Yo-Tú" de Buber. El amor es el único absoluto moral que no es contraproducente. Todos quieren ser amados, así que todos deben amar.

El amor es también el único absoluto moral reconocido universalmente. Note que no decimos universalmente *practicado*. La moralidad no es determinada por lo que la gente *hace* sino por lo que *debe* hacer. Uno no puede siempre determinar lo que la gente cree que debe hacer observando lo que en realidad hace. Por ejemplo, usted puede creer de todo corazón que debe amar a su prójimo pero, ¿pone en práctica esa creencia? Con frecuencia, quizá, pero seguramente no siempre y probablemente no con una frecuencia suficiente que lo satisface a usted mismo.

Por lo tanto, es un error juzgar las creencias morales de una persona por su conducta. Un asesino autor de múltiples homicidios condenado a muerte puede estar de acuerdo con que el homicidio es malo. El hombre que miente en la declaración de sus impuestos sobre la renta o la mujer que miente al decir su edad puede admitir que la honradez y veracidad son virtudes que todos deben practicar. Puede usted estar muy a favor de la ley y el orden público pero aun así viola la velocidad máxima de una carretera. La conducta moral revela sólo lo que la persona *hace*, no necesariamente lo que cree que *debe* hacer.

"Si no podemos determinar las creencias morales de alguien por su comportamiento, ¿cómo hacerlo?" quizá se esté preguntando usted. Hay dos maneras.

Primero, podemos saber lo que una persona cree que es el proceder correcto por lo que dice que es el proceder correcto. Ya hemos visto que los grandes credos y declaraciones morales a través de la historia son muy similares y reducibles al absoluto del amor. C. S. Lewis escribió un libro entero sobre el tema. En *The Abolition of Man* (La abolición del hombre), Lewis informa sobre sus estudios de numerosos códigos morales de las grandes culturas del mundo. Es notable cómo estos códigos morales se parecen mucho a la segunda tabla de los Diez Mandamientos, las indicaciones de Dios sobre las relaciones humanas. Las gentes de todas las culturas pueden afirmar que los principios morales incluidos en los Diez Mandamientos y en la Regla de Oro son el código básico de las relaciones humanas. Cuando uno le pregunta a alguien cómo se debe vivir, por lo general dará la respuesta acertada: Hacer al prójimo lo que uno quiere que el prójimo le haga a uno.

Aun la mayoría de los no cristianos dirán que el amor es esencial. El imperativo categórico de Kant y el "Yo-Tú" de Buber armonizan con la Regla de Oro. Bertrand Russell, famoso por su libro *Why I Am Not a Christian* (Por qué no soy cristiano), escribió más adelante: "Lo que el mundo necesita es amor y compasión cristianos." El renombrado psicoanalista Erich Fromm declaró que la falta de amor es la raíz de todos los problemas psicológicos. Confucio sostenía el mismo principio básico aunque lo expresara negativamente: "No le hagas a tu prójimo lo que no quieres que te hagan a ti." Básicamente, los moralistas han dicho lo mismo a través de los años sobre lo que es absolutamente bueno o malo: Amar es bueno y no amar es malo.

Segundo, podemos determinar lo que uno cree que debiera hacer por lo que *espera que los demás* hagan para con él. La prueba más fundamental de la moralidad de una acción tiene sus raíces en las expectativas morales de la propia persona. No es cómo un individuo trata a otros sino *cómo un individuo quiere que los demás lo traten a él* lo que revela lo que realmente cree es lo correcto. Más fundamental que las acciones morales o las expresiones morales son las expectativas morales. La expectativa universal de ser tratados decentemente y con justicia es la evidencia más obvia de que el amor es el absoluto moral irreducible.

Uno de los ex alumnos de Norm Geisler, quien ahora enseña filosofía, presentó esta realidad a uno de sus alumnos de una manera reveladora. El profesor asignó a sus alumnos de ética la tarea de escribir una composición, pero quedaban en libertad de elegir sus propios temas. Un alumno brillante escogió defender su concepto personal de que no hay absolutos morales, que todo es relativo. Después de leer su bien escrita, bien documentada composición, el profesor le dio la peor calificación agregando: "No me gustan las carpetas azules."

Al recibir la mala calificación, el alumno entró como un torbellino en la oficina del maestro.

—¿Qué tiene de malo mi escrito? —demandó saber.

—Su escrito no tiene nada de malo —explicó calmadamente el profesor—. En realidad es un trabajo excelente.

—Entonces, ¿por qué me ha dado una calificación tan baja? —preguntó furioso el alumno.

—Porque puso su escrito en una carpeta azul, y a mí no me gustan las carpetas azules —respondió el profesor.

—¡Eso no es justo! ¡Eso no está bien! Debió haberme dado una calificación por el contenido de mi escrito, ¡no por el color de la carpeta!

El profesor respondió:

—¿No propone usted en su ensayo que los conceptos morales son cuestión de gusto u opinión, como a uno le gusta el chocolate y a otro la vainilla?

—Sí —admitió el alumno.

—Bueno —siguió el profesor—, a mí no me gusta el azul así que le doy un Reprobado.

De pronto, al joven se le encendió la luz. Se dio cuenta de que había caído en la trampa de su propio argumento. Su expectativa de ser tratado con justicia demostraba una creencia en los absolutos éticos que antes no había querido reconocer.

Probemos esta teoría en un par de situaciones de la vida cotidiana.

Está usted detrás del volante de su auto en una carretera de cuatro carriles y mucho tránsito. Una señal indica que el carril a la izquierda está cerrado un poco más adelante e indica a los autos que vayan tomando el carril a la derecha. Usted deja que un auto entre delante de usted, pero después prácticamente se pega al parachoques del auto que tiene enfrente para que otros autos no se metan, especialmente el conductor del auto rojo de lujo que a toda velocidad avanzó por el carril izquierdo ya casi vacío, con la intención de meterse a la derecha justo antes de llegar a los conos anaranjados que han sido colocados para señalar la desviación.

Debió tratar de meterse mucho antes, en cuanto vio la señal, piensa usted muy satisfecho mientras el tipo en vano le hace señas de que lo deje entrar. El auto de lujo finalmente se va metiendo detrás de usted, después de tumbar uno o dos conos. Cuando más adelante se habilita el carril izquierdo, lo pasa a usted a toda velocidad echándole una mirada furibunda.

Unos kilómetros más adelante, el carril por donde transita usted está cerrado. Los autos adelante suyo aminoran ordenadamente y se van metiendo en el carril de la izquierda. Por lo general, usted haría lo mismo. Pero ya va sobre la hora para una entrevista y tiene la oportunidad de ganar tiempo si aprieta el acelerador para después meterse en frente de un camión o de alguien que va despacio. Es una entrevista importante, así que aprieta el acelerador a fondo.

Como a medio kilómetro se va acercando a los conos anaranjados, que cierran el tránsito, así que busca un claro donde meterse, pero no lo encuentra. En el carril de la izquierda los autos están parachoque contra parachoque, y nadie lo deja meterse. Se detiene, enciende sus luces intermitentes, y espera pacientemente para ver si algún alma caritativa lo deja pasar. "Vamos, sean justos", murmura. Seguramente pueden darse cuenta de que usted está apurado y que no es su costumbre hacer esto. No es un loco del volante como el tipo en el auto rojo deportivo de lujo —que también pasa tranquilamente y no lo deja meterse. Allí se queda usted frente a los conos, furioso por la insensibilidad de los demás automovilistas.

¿Qué cree usted realmente que debe suceder en situaciones como esa? Aunque no fue usted un automovilista muy caritativo cuando otros necesitaban meterse delante de usted, es obvio que cree que lo correcto es dejar que los automóviles se metan en su carril cuando lo piden. Dio pruebas de cuál es su código moral por lo que dijo sobre ser justos y por sus expectativas, demostradas por su reacción airada contra los conductores que le cortaban el paso. Sus expectativas revelan sus verdaderas creencias. Amar en esta situación significa dejar que otros automovilistas se metan delante suyo —hasta los locos del acelerador en autos deportivos de lujo— porque usted espera que otros automovilistas le den paso a usted cuando tiene que meterse en una línea de autos.

Considere otra escena. Durante su evaluación anual de rendimiento, usted presiona a su supervisor para que le dé el mayor aumento de sueldo permitido por mérito. Va mencionando uno por uno los muchos logros del año y hace usted referencia a los sueldos que pagan otras compañías para los puestos comparables al suyo. A la compañía no le ha ido tan bien como esperaban este año, pero usted hizo su parte y merece que se lo reconozcan debidamente.

También es usted integrante de la comisión de la iglesia que determina el aumento anual del sueldo del pastor. Nuevamente este año el presupuesto está muy ajustado y han tenido que recortar los gastos. A usted le gustaría votar que a su pastor le dieran un buen aumento, pero en ese caso sufrirían otros programas de la iglesia. Así que sugiere un pequeño aumento y promete orar fielmente para que Dios supla todas sus necesidades.

¿Qué cree usted es el proceder correcto en el caso de un buen empleado? Es obvio que usted cree que los empleados deben ser recompensados bien por sus esfuerzos porque eso es lo que usted espera de su empleador. Seguir la Regla de Oro en el caso de su pastor significa aplicar su creencia moral a la situación de él. O significa cambiar su creencia y sacrificarse financieramente en pro de su empleador, como está pidiendo que lo haga su pastor.

Lo que esperamos que los demás hagan por nosotros y nuestros seres queridos es la clave de nuestras verdaderas creencias morales. Como dijo Jesús, lo que queremos que los demás hagan para con nosotros es la base para lo que *debemos* hacer para con los demás. Nuestra moralidad debe ser juzgada por lo que afirmamos es correcto y esperamos que nos hagan a nosotros. Porque con nuestras bocas decimos lo que debe hacerse y en nuestros corazones sabemos lo que esperamos que los demás nos hagan a nosotros.

Hacer lo único correcto

¿Es el amor realmente el absoluto moral definitivo, que trasciende las líneas divisorias de las culturas y aun las religiones? La experiencia humana nos da la respuesta.

Primero, la simple observación de la naturaleza humana indica que todos en todas partes quieren y esperan ser amados. Todos quieren ser tratados con justicia, respeto, cortesía y honestidad. Las personas mental y emocionalmente sanas no están contentas cuando se les asalta, abusa, calumnia, miente, engaña, roba, menoscaba o desprecia. Más bien, cuando son tratadas sin cariño, la mayoría reacciona negativamente. Se enojan, se descontrolan, se desilusionan o se sienten heridas, demostrando que la forma desamorada en que fueron tratadas les resultó una intrusión importuna en lugar de una expectativa soñada. El ser humano universalmente actúa como si mereciera el respeto y dignidad inherentes en el amor, por lo que deducimos que es correcto amar.

Segundo, piense en sí mismo. ¿No espera, por lo general, un trato positivo, cariñoso en todas sus relaciones y encuentros con los demás? ¿Y acaso no afloran sus emociones negativas cuando no recibe el trato que espera? Por ejemplo, ¿no espera usted que su cónyuge y sus hijos aprecien lo que hace por ellos como se evidencia en su desencanto o dolor cuando no lo toman en cuenta? ¿No espera usted que los vendedores en los negocios le atiendan con rapidez y cortesía que se evidencia en su indignación cuando lo consideran a usted como una molestia? ¿No espera que su jefe sea sensible a sus necesidades, que se evidencia en su frustración cuando él o ella parece totalmente absorto por obtener más ganancias, bajar los costos y tener más clientes?

Podemos entonces llegar a la conclusión de que todas las personas esperan ser amadas y por lo tanto deben amar a los demás. Si no queremos amar a otros negamos que somos personas o mostramos que somos inconsecuentes con nuestras propias expectativas morales. La Regla de Oro sencillamente resume lo que la conducta humana y las expectativas personales convincentemente testifican. Ya que esperamos ser amados, debemos amar. Negarle el amor a otros es negarles su valor como personas. Y si todo el mundo anhela el amor, entonces el amor no puede limitarse siempre a únicamente algunas personas o a una sola persona: Usted mismo. Si reconoce que anhela y espera un trato cariñoso por parte de los demás, entonces su expectativa demanda que usted también ame a los demás.

Esperando hacerle caer en una trampa, un abogado le preguntó a Jesús: "¿Y quién es mi prójimo?" (Luc. 10:29). Jesús contestó con la parábola del Buen Samaritano, quien arriesgó su propia seguridad y brindó su tiempo, esfuerzos y recursos para ayudar a un judío que había sido golpeado y dejado por muerto. La parábola indica que hemos de considerar como nuestro prójimo a cualquier persona cuyas necesidades podemos suplir. Dicho más ampliamente, un prójimo es cualquiera que necesita amor. El amor es el absoluto moral irreducible. Amar es siempre el proceder altruista. Amemos a todos.

Preguntas difíciles y respuestas sin rodeos sobre la Regla de Oro

1. *¿Pueden los no cristianos realmente obedecer la Regla de Oro sin conocer a Dios como el origen del amor?*

Sí, porque no hay que ser cristiano para poner en práctica la verdad bíblica. Tenemos que admitir que ¡a veces la Regla de Oro es observada con más fidelidad por los inconversos que por algunos cristianos! El inconverso puede vivir de acuerdo con la Regla de Oro sin conocer que Dios es su origen, simplemente porque, aun para quienes no son salvos, tiene sentido tratar a otros como quieren que a uno lo traten. Como lo demostraran Emmanuel Kant y Martin Buber, el amor parece ser un absoluto moral universal aparte de un conocimiento personal de Dios o una relación con Jesucristo.

No obstante, a pesar de lo bondadoso y amoroso que sea, todo inconverso debe comprender que la salvación se obtiene por medio de la fe en Cristo únicamente, no por medio de observar la Regla de Oro. Las personas tienen que ser conducidas, desde el sentido común natural de amar a otros, al principio bíblico del amor y a la persona de Dios mismo, el origen del amor.

2. ¿Qué lugar ocupa el Espíritu Santo en la ética cristiana del amor?

El Espíritu Santo es esencial en la práctica de la ética cristiana del amor. Muchos, incluyendo inconversos, pueden seguir con cierto éxito la Regla de Oro haciendo uso de su fuerza de voluntad. Pero realmente *vivir* la ética del amor día tras día requiere un poder sobrenatural interior, el poder del Espíritu Santo. La diferencia se nota especialmente cuando vienen las presiones, cuando amar se hace más difícil. Las personas negativas, cortantes y antipáticas son un desafío para nuestra resolución humana de tratar a los demás como queremos que los demás nos traten. La reacción natural, carnal es actuar igual que ellas. Es en estas situaciones cuando necesitamos la habilidad sobrenatural del Espíritu Santo para amar. También, cuando estamos cansados, frustrados, o hartos de la gente, se debilita nuestra disposición de ser cariñosos. Necesitamos un poder fuera de nosotros mismos para llevar a cabo lo que sabemos es correcto.

El Espíritu Santo es indispensable para que tengamos éxito en actuar con amor cuando no tenemos ganas de hacerlo. Aun un auto sin motor puede rodar cuesta abajo. Es cuando la vida es una lucha cuesta arriba que nos damos cuenta de que necesitamos el poder del Espíritu para amar como debemos (Rom. 8:3, 4).

3. ¿Qué diferencia hay entre la ética cristiana del amor y sencillamente hacer caso a nuestra conciencia y nuestro sentido común?

La conciencia y el sentido común por lo general son dignos de confianza, pero también son falibles. La conciencia humana, aunque esté dispuesta en alguna medida a hacer lo correcto, puede ser condicionada por influencias mundanas, deseos de la carne y las tentaciones de Satanás. El sentido común implica una aceptación social generalizada y la opinión pública puede ser desviada por las mismas fuerzas negativas que afectan a la conciencia personal. Sin una norma objetiva de conducta —específicamente, un absoluto moral anclado en Dios mismo y expresado en su ley moral— tarde o temprano se yerra el camino.

4

No conocemos el amor si no conocemos a Dios

En *Mortal Lessons: Notes on the Art of Surgery* (Lecciones mortales: Notas sobre el arte de la cirugía), el doctor Richard Selzer cuenta de su encuentro con una joven después de haberle extirpado un tumor del rostro. Tuvo que cortarle un nervio facial, dejando un lado de la boca paralizado y torcido. El cirujano estaba preocupado por cómo ella y su esposo reaccionarían a su nueva fisonomía.

El esposo de ella está en la habitación. Está de pie al otro lado de la cama y, juntos, parecen concentrarse en la luz de la lámpara nocturna. Ajenos a mi presencia, concentrados en ellos mismos. Quiénes son éstos, me pregunto, él y esta mujer de boca rara que he creado, que se miran a los ojos y se acarician generosamente, con avidez.

La joven pregunta: "¿Quedaré así para siempre?" "Sí", le digo. "Es porque hubo que cortar el nervio." Ella asiente en silencio. Pero el joven sonríe. "Me gusta", dice. "Me resulta atractivo."

De pronto sé quién es, y comprendo, y bajo la vista. Uno se intimida ante el encuentro con un dios. Sin hacerme caso, él se inclina para besar la boca torcida de ella, y estoy tan cerca que puedo notar cómo tuerce sus propios labios para acomodarlos a los de ella, para mostrar que su beso todavía funciona. Recuerdo que los dioses en la antigua Grecia se presentaban como mortales, y sostengo la respiración y dejo que me envuelva esta maravilla.

Como lo sugiere el doctor Selzer, el amor es una cualidad que raya en lo divino. Pero no somos dioses. El amor es algo que los seres humanos necesitan y expresan, pero amar no es parte de nuestra naturaleza básica. Es algo que *tenemos*, no algo que *somos*. El amor reside dentro de nosotros y se expresa a través de nosotros por la presencia del Espíritu Santo, pero su origen está más allá de nosotros. Como el amor es un absoluto, nunca cambia. Por lo tanto el origen definitivo del amor debe ser tan inmutable como el amor mismo. Como cristianos, identificamos a nuestro Dios inmutable como el origen del amor. La Biblia afirma claramente: "Dios es amor" (1 Jn. 4:16). A diferencia de su creación humana, Dios no *tiene* amor, Dios *es* amor. La actividad del amor de Dios fluye de su naturaleza de amor. Cuando Dios ama, sencillamente se está expresando como él es.

Ninguna ética del amor que valga la pena puede evitar el conocimiento del Dios de amor que se revela en las Escrituras. El mandato de amar no significa nada a menos que sepamos qué es el amor, y el significado del amor está enraizado en Dios. Juan escribió: "El que no ama no ha conocido a Dios, porque Dios es amor" (1 Jn. 4:8). El amor ético cristiano no es más seguro que su origen ni más aplicable a la vida que nuestro conocimiento de su ley.

¿Cómo obtenemos este conocimiento del amor de Dios? Existen dos fuentes básicas: el mundo que nos rodea y las Escrituras. Nuestra experiencia del amor de Dios en la creación y las relaciones humanas son una fuente general de conocimiento respecto a él. La Biblia es una fuente más específica. Consideraremos ambas.

Rodeados de la naturaleza amante de Dios

La lluvia primaveral cae suavemente sobre el huertito que usted tiene en el patio de su casa. Las gotas de lluvia parecen perlitas sobre las hojas y el fruto verde de robustas plantas de tomates, zapallitos, lechuga y zanahorias que prometen una deliciosa cosecha veraniega. Usted no sale de su asombro. Hace apenas unas pocas semanas, allí no había más que tierra. Usted plantó las semillas, las regó y luego las miraba día tras día. El sol templado de la primavera hizo brotar de la tierra húmeda los verdes brotes. Casi ante sus ojos, las semillitas produjeron una abundancia de hermosas verduras, suficiente para su familia y para compartir con sus vecinos. Usted piensa en los agricultores que cultivan sus tierras por hectáreas y con ellas se mantienen muy bien. Piensa en los pobres que cultivan lo poquito que pueden para poder sobrevivir. Se pregunta si ellos también se maravillan ante el milagro de la semilla, la lluvia, el sol y la cosecha.

Nuestra experiencia al vivir en este mundo nos indica que hay un Dios que cuida de la tierra que creó y de las criaturas que en ella viven. Como predicara Pablo a los inconversos en Listra, Dios "jamás dejó de dar testimonio de sí mismo haciendo el bien, dándoos lluvias del cielo y estaciones fructíferas, llenando vuestros corazones de sustento y de alegría" (Hech. 14:17). El salmista dijo de Dios: "Abres tu mano y satisfaces el deseo de todo ser viviente" (Sal. 145:16). Dios prometió a Noé: "Mientras exista la tierra, no cesarán la siembra y la siega, el frío y el calor, el verano y el invierno, el día y la noche" (Gén. 8:22). La tierra, con su gran fecundidad, su agradable combinación de simetría y contrastes, su hermosura que nos quita el aliento y su intricado diseño —desde el macrocosmo del espacio hasta el microcosmo del mundo de las subpartículas— es un testimonio del amor de Dios que cumple su promesa a través de los milenios.

Pablo habló de nuestra total dependencia del Creador amante, recordando a los filósofos no cristianos en el Areópago de Atenas que Dios no "es servido por manos humanas como si necesitase algo, porque él es quien da a todos vida y aliento y todas las cosas" (Hech. 17:25). El testimonio de la naturaleza basta para convencer a todo ser humano de la existencia y providencia de un Dios que nos hizo y que cuida de nuestras necesidades. Pablo escribió: "Porque lo invisible de él —su eterno poder y deidad— se deja ver desde la creación del mundo, siendo entendido en las cosas creadas; de modo que no tienen excusa" (Rom. 1:20). La naturaleza es un testimonio constante y claro de la existencia de un Dios de amor.

Nuestro conocimiento del amor de Dios en el mundo que nos rodea no se limita a lo que generalmente llamamos naturaleza. Dios también nos ha revelado su amor por medio del amor hacia su creación humana. El apóstol Juan declaró: "El amor es de Dios. Y todo aquel que ama ha nacido de Dios y conoce a Dios" (1 Jn. 4:7). El tierno amor del padre y el hijo, el amor generoso, íntimo del esposo y la esposa y el amor dedicado, duradero de amigos de toda la vida son evidencias de que el Dios que nos creó es un Dios de amor. Cada vez que alguien le hace un mandado a alguien incapacitado, le lleva comida a un amigo enfermo, dona dinero o materiales para aliviar el sufrimiento en un desastre natural, ayuda a un vecino a mover sus muebles o realiza otra acción altruista, el amor de Dios se está reflejando en el comportamiento humano. Como cristianos, sabemos que somos instrumentos del amor de Dios hacia el prójimo porque "el amor de Cristo nos impulsa" (2 Cor. 5:14). El amor procede de Dios, y quienes sienten verdadero amor, sean creyentes o no, perciben que hay un Dios que ama.

Resulta obvio que el amor se ha distorsionado en nuestro mundo. El pecado y la enfermedad en el corazón de la humanidad han torcido el amor humano convirtiéndolo en orgullo, odio y venganza. Los conflictos, la envidia y la amargura han separado a individuos, familias, razas, clases sociales y naciones. Aun así, el amor humano es universal. Todas las culturas toman en consideración la decencia y el respeto en las relaciones humanas, como lo demuestran sus leyes civiles y códigos morales. Por ejemplo, los hunos de Atila pueden haber sido salvajes en su odio y destrucción de sus enemigos, pero amaban a sus propios cónyuges, hijos y amigos. Con excepción, quizá, de algún criminal atroz, mentalmente trastornado o diabólico, difícilmente encontraremos en el mundo a alguien que no ama a alguien: a un padre, o hermano, o mentor o cónyuge. Y aun el más pequeño indicio de amor en el corazón humano es evidencia de la marca del Dios de amor que nos creó.

La palabra final sobre el Dios de amor

El conocimiento más explícito del amor de Dios se obtiene de la Biblia. Literalmente cientos de referencias en los dos Testamentos nos cuentan del amor de Dios. Algunos capítulos enteros, como 1 Corintios 13 —muy bien llamado "el capítulo del amor"— están dedicados al amor. El amor es el tema dominante en libros como Oseas, el Evangelio según Juan y la Primera Epístola según Juan. Según Jesús, el amor es el tema general de las Escrituras. Dijo él: "Amarás el Señor tu Dios con todo tu corazón y con toda tu alma y con toda tu mente. Este es el grande y el primer mandamiento. Y el segundo es semejante a él. Amarás a tu prójimo como a ti mismo. De estos dos mandamientos dependen toda la Ley y los Profetas" (Mat. 22:37-40).

En el Antiguo Testamento, la Ley (los primeros cinco libros) y los Profetas (los últimos diecisiete libros, Mat. 5:17; Lucas 24:27) ofrecen un resumen de las instrucciones de Dios sobre cómo vivir en una relación de amor con él y con los demás. La evidencia de esta relación se registra en los libros históricos y se celebra en los libros poéticos. Al decir Jesús: "toda la Ley y los Profetas" indicaba que el amor de Dios satura el Antiguo Testamento. Aun al dar los Diez Mandamientos, Dios declaró que se comprometía a mostrar "misericordia por mil generaciones a los que me aman y guardan mis mandamientos" (Exo. 20:6). El salmista exclama repetidamente la frase: "¡Porque para siempre es su misericordia!" (Sal. 136:1 y subsiguientes).

También se repite a través del Antiguo Testamento una frase rica y descriptiva de la naturaleza amorosa de Dios tal como se revelara a Moisés: "Dios compasivo y clemente, lento para la ira y grande en misericordia y verdad, que conserva su misericordia por mil generaciones, que perdona la iniquidad, la rebelión y el pecado" (Exo. 34:6, 7; vea también Núm. 14:18; Neh. 9:17; Sal. 86:15; 103:8; 145:8; Joel 2:13). Y como la experiencia de Jonás muestra, el amor de Dios no se limitaba a Israel. Jonás confesó la preocupación de Dios por Nínive: "Porque sabía que tú eres un Dios clemente y compasivo, lento para la ira, grande en misericordia y que desistes de hacer el mal" (Jon. 4:2). Las buenas nuevas del amor de Dios saturan el Antiguo Testamento desde Génesis hasta Malaquías.

El amor de Dios culmina en el Nuevo Testamento, como se nota en el centro del mensaje bíblico del amor, Juan 3:16: "Porque de tal manera amó Dios al mundo, que ha dado a su Hijo unigénito, para que todo aquel que en él cree no se pierda, mas tenga vida eterna." Juan amplió este tema central en su primera carta: "En esto se mostró el amor de Dios para con nosotros: en que Dios envió a su Hijo unigénito al mundo para que vivamos por él" (1 Jn. 4:9). Jesús dijo: "Nadie tiene mayor amor que éste, que uno ponga su vida por sus amigos" (Juan 15:13). El apóstol Juan se hizo eco de este pensamiento, agregando la importancia del ejemplo de Jesús para nosotros: "En esto hemos conocido el amor: en que él puso su vida por nosotros. También nosotros debemos poner nuestras vidas por los hermanos" (1 Jn. 3:16).

Pablo se maravillaba de que Dios hubiera actuado con amor mucho antes de que supiéramos que necesitábamos su amor: "Pero Dios demuestra su amor para con nosotros, en que siendo aún pecadores, Cristo murió por nosotros" (Rom. 5:8). El sacrificio del santo Hijo de Dios para redimir a la raza humana pecadora es la quintaesencia del amor. Con razón Juan dice con regocijo: "Mirad cuán grande amor nos ha dado el Padre para que seamos llamados hijos de Dios. ¡Y lo somos!" (1 Jn. 3:1).

Las Escrituras nos aseguran además que Dios es tenaz, no tenue, en su amor por nosotros. Romanos 8:35, 38, 39 presenta un concepto conmovedor y alentador del compromiso de Dios de amarnos: "¿Quién nos separará del amor de Cristo? ¿Tribulación? ¿angustia? ¿persecución? ¿hambre? ¿desnudez? ¿peligros? ¿espada?... Por lo cual estoy convencido de que ni la muerte, ni la vida, ni ángeles, ni principados, ni lo presente, ni lo porvenir, ni poderes, ni lo alto, ni lo profundo, ni ninguna otra cosa creada nos podrá separar del amor de Dios, que es en Cristo Jesús, Señor nuestro."

El amor de Dios resuena como un clarín a lo largo del Nuevo Testamento. Vemos el amor de Dios el Padre por su Hijo (Mat. 3:17; Marcos 9:7) y el amor del Hijo por su Padre (Juan 14:31). Jesús nos dice que su amor por nosotros sigue el ejemplo del amor del Padre por él (Juan 15:9). Se nos manda que respondamos al amor de Dios por nosotros amando a Dios (Mat. 22:37) y amando a otros (Juan 13:34, 35; Rom. 13:8; 1 Ped. 1:22; 1 Jn. 4:7), incluyendo a nuestros enemigos (Mat. 5:44). Pero aun cuando amamos, nuestra capacidad de hacerlo se origina en Dios y su naturaleza amante: "En esto consiste el amor: no en que nosotros hayamos amado a Dios, sino en que él nos amó a nosotros y envió a su Hijo en expiación por nuestros pecados" (1 Jn. 4:10).

Dios de amor y Dios de ira

"Un momento", pueden objetar muchos. "Si Dios es un Dios de amor, ¿por qué creó el infierno, y por qué manda allí a las personas?" Es una pregunta importante. La Biblia dice que Jesús, quien amó al mundo tanto que murió por él, un día vendrá: "en llama de fuego, para dar retribución a los que no han conocido a Dios y a los que no obedecen el evangelio de nuestro Señor Jesús. Ellos serán castigados con eterna perdición, excluidos de la presencia del Señor" (2 Tes. 1:8, 9). A los inconversos, Jesús dirá: "Apartáos de mí, malditos, al fuego eterno preparado para el diablo y sus ángeles" (Mat. 25:41). En su visión, Juan notó que "el que no fue hallado inscrito en el libro de la vida fue lanzado al lago de fuego" (Apoc. 20:15). Este lugar es descrito como uno de tormento del cual no hay escapatoria (Lucas 16:23-26), un lugar donde "habrá llanto y crujir de dientes" (Mat. 8:12). ¿No es la existencia de un lugar así incompatible con un Dios que por naturaleza es amante?

La respuesta es negativa. El amor absoluto, lejos de ser incompatible con el infierno, en realidad demanda su existencia. Nadie puede forzar a nadie para que lo ame. Usted decide amar a Dios; él no lo forzará a amarle. Dios, por supuesto, hará todo lo que está dentro de su poder amante para invitarle a amarle a él. De eso se trata el plan de redención. Pero Dios no violará el libre albedrío de los que definitiva y ultimadamente lo rechazan. Como notara C. S. Lewis, hay sólo dos tipos de personas en el universo: las que le dicen a Dios, "Hágase tu voluntad" y aquellos a quien Dios dirá: "Hágase tu voluntad". Jesús se lamentó compasivamente, mostrando su deseo de juntar a su pueblo como una gallina junta a sus pollitos: "y no quisiste" (Mat. 23:37). El infierno es el lugar provisto por un Dios paciente para quienes se niegan a tomar el camino de él. Habiendo hecho todo lo posible por ganarlos, Dios al final dirá a algunos: "Está bien, sigue tu propio camino."

¿Crueldad? ¿Falta de amor? Al contrario. Piénselo: Si Dios permitiera al inconverso entrar al cielo, sería para ellos peor que el infierno. ¿Cómo podrían quienes detestan la oración y alabanza a Dios aguantar ser sentenciados a un lugar donde esta actividad sigue eternamente? ¡Si se sentían incómodos durante apenas una hora en el templo haciendo esto, piense en lo incómodos que estarían si tuvieran que hacerlo para siempre! Y como el cielo es un lugar donde las personas se inclinan en adoración a Dios, ¿cómo podría un Dios de amor forzar que vayan allí a los que no quieren adorarle sino que más bien lo odian o son indiferentes a él como lo fueron en vida? Es más congruente con la naturaleza del amor divino no obligar a nadie a amarle en contra de su voluntad. Por lo tanto, Dios en realidad es misericordioso con los inconversos al proveerles un lugar consistente con el rechazo a él.

Esto no significa que el que termina en el infierno disfrutará de estar allí. Al contrario, la descripción bíblica no deja lugar a dudas sobre lo indeseable de este destino eterno. Nadie quiere ir al infierno, pero si rechazan a Cristo allí irán. Es por eso que debemos seguir urgiendo a nuestros familiares, amigos, vecinos, compañeros de escuela y trabajo para que se entreguen al amor de Dios y se sometan a su camino. Es por eso que advertimos a nuestros seres queridos y a extraños por igual de las consecuencias de optar por rechazar a Dios y seguir su propio camino. Creemos firmemente que los que le han dado la espalda a Dios en ira o apatía pueden aprender a amarle como lo amamos nosotros. Aun así, Dios no obligará a ir al cielo a los que no quieren estar con él allí. Por más indeseable que sea su decisión, la han tomado y tendrán que vivir eternamente las consecuencias que acarrea.

Alguien pudiera preguntar: "¿Y qué pasa si uno en el infierno cambia de opinión? ¿Un Dios amoroso no soltaría al penitente del infierno y lo transferiría al cielo por aquello de 'más vale tarde que nunca'?" La respuesta es negativa. Los que se van al infierno son únicamente los que Dios sabe que nunca cambiarían de opinión acerca de él. Si mil oportunidades más en la vida los hubieran movido a decidir por el camino de Dios, él en su amor les hubiera dado esas oportunidades. Pero porque él sabe todo de antemano, incluyendo el hecho de que algunos nunca cambiarán de opinión, Dios los suelta y dice: "...está establecido que los hombres mueran una sola vez, y después el juicio" (Heb. 9:27). Dios no dejó de mostrarles su amor. Pero, lamentablemente, ni el amor de Dios pudo ganarlos. Les ofreció la oportunidad de tener lo mejor dejando a la vez a cada uno decidirse por menos que lo mejor de Dios. Dios, quien es la esencia del amor, permite el insulto máximo a su amor: ser rechazado.

Esta descripción del amor de Dios nos ayuda a entender mejor la ira de Dios. La ira es el resultado del amor rechazado. Como C. S. Lewis acertadamente observara, el único lugar en el universo donde el ser humano se verá libre de las perturbaciones del amor es el infierno. El infierno es donde el amor ya no atrae, porque ya no es posible ganar a nadie allí. No es que Dios ya no ame. Su amor radiante todavía brilla, pero el efecto es totalmente diferente cuando el amor es rechazado. El mismo sol que derrite la cera también endurece la arcilla. La diferencia no radica en la fuente de calor sino en la reacción del objeto que recibe el calor.

Lo mismo sucede con el amor de Dios. Donde alguien no está dispuesto a responder al amor de Dios, hay ira. Si alguna vez ha tratado usted de amar a alguien que no quiere ser amado, puede darse una idea de la frustración del amor de Dios. Si usted obstinada y orgullosamente ha rechazado el amor que alguien le brindaba, ha experimentado un poquito de cómo es el infierno. Es una desdicha necesitar amor y querer amor y aun así no brindarse a alguien que lo ama. Los no creyentes son como baldes puestos boca abajo bajo las Cataratas del Niágara. "¿Dónde está el amor de Dios y el Dios de amor?", claman. "Mi vida está vacía y no tiene sentido." Aun así se niegan a dar vuelta sus vidas y dejar que la catarata del amor infinito de Dios llene sus vidas. Dios es amoroso; su amor fluye como un poderoso torrente que no tiene fin. Quiere lo bueno para cada individuo, pero su amor no puede ayudar al que no quiere el mayor bien para sí que es aceptar su amor.

Hay muchas maneras de profundizar nuestro conocimiento y experiencia del amor de Dios y del Dios de amor. Ya que la creación de Dios es una expresión siempre presente de su amor, debemos estudiar y disfrutar lo que Dios ha hecho. El rey David escribió: "Cuando contemplo tus cielos, obra de tus dedos, la luna y las estrellas que tú has formado, digo: ¿Qué es el hombre, para que de él te acuerdes; y el hijo del hombre, para que lo visites?" (Sal. 8:3, 4). La sociedad nos insta a hacer una pausa y aspirar el aroma de las flores. Las Escrituras nos invitan a "considerar" lo que Dios ha hecho, buscar la expresión de su amor en todo lo que nos rodea y alabarle por su cuidado cariñoso.

Ya que las relaciones humanas reflejan la naturaleza del Dios de amor, debemos estimular y mostrar nuestra aprobación por el amor humano altruista dondequiera que lo encontremos. Se ha popularizado un dicho que dice: "Practica la bondad al azar." La Biblia lo dice de esta manera: "Mientras tengamos oportunidad, hagamos el bien a todos" (Gál. 6:10). Los que aman y se brindan a otros altruistamente en el nombre de Cristo deberían ser nuestros héroes. Acérquese a ellos, aprenda de ellos e imite su espíritu lleno de amor.

Sobre todo, ya que el amor de Dios y el Dios de amor son presentados con total claridad en su Palabra, debemos conocer las Escrituras. Estudie los actos de amor de Dios en la historia bíblica desde la creación hasta la redención. Familiarícese con los amorosos caminos de Dios declarados en sus mandamientos, las enseñanzas de Jesús y los escritos de los apóstoles. Satúrese de los himnos y poemas de los salmos, muchos de los cuales son cantos de amor a Dios. Cuanto mejor conozca usted la Palabra de Dios, mejor conocerá a Dios. Y cuanto mejor conozca a Dios, más claramente percibirá los latidos de su amor.

Preguntas difíciles y respuestas sin rodeos sobre el amor de Dios

1. *Si la naturaleza es una expresión del amor de Dios, ¿por qué permite males naturales, como terremotos, huracanes, inundaciones y enfermedades que causan la muerte de centenares de personas cada año?*

Los desastres naturales son el resultado de nuestro pecado, no una evidencia de que el amor de Dios sea incompleto o ineficaz. Ocurrió una transformación en la tierra después que Adán y Eva desobedecieran a Dios en el jardín. Dios dijo: "Sea maldita la tierra por tu causa. Con dolor comerás de ella todos los días de tu vida; espinos y cardos te producirá... Con el sudor de tu frente comerás el pan" (Gén. 3:17-19). El mundo está manchado de maldad física, y muchas veces produce "trabajos dolorosos" en la vida de sus habitantes, aun de los que aman a Dios. Quienes construyen casas y ciudades cerca de una zona de fallas geológicas se arriesgan a sufrir perjuicios y muerte causados por terremotos. Si vive usted en una región propensa a los huracanes o tifones o en un llano propenso a las inundaciones, sus cosechas y propiedad pueden ser llevadas por las aguas. Si no se protege usted de las enfermedades, puede ser víctima de ellas.

Es importante comprender que quienes sufren una tragedia causada por un desastre natural no sufren porque sean más malos que los que no son afectados (vea Lucas 13:3-5). Más bien, el mal físico llega a nuestras vidas por muchas distintas razones. Dios es amante, y la única manera como podemos amarlo es libremente. Y el libre albedrío es el origen de la maldad.

(1) *Algunos males físicos son el resultado de decisiones hechas libremente.* Si construye usted su casa cerca de la falla de San Andrés en California, puede suceder que muera en un terremoto. Si compra una granja a orillas de un río caudaloso, puede suceder que un día una inundación se lo lleve a usted y a su casa. Si usted come demasiado y no hace ejercicio, corre el riesgo de sufrir un ataque al corazón.

(2) *Algunos males físicos resultan de optar por no hacer nada.* La pereza puede llevar a la pobreza. Demorar un examen físico de rutina puede permitir que un cáncer no detectado sea después imposible de tratar. No querer dejar la mala costumbre de manejar el auto cuando está muy cansado puede causar un accidente fatal.

(3) *Algunos males físicos resultan de las libres decisiones de otros.* El maltrato a los niños, los tiroteos, los asaltos y las muertes en las carreteras causadas por conductores ebrios son ejemplos de cómo a veces los inocentes sufren un mal a manos de personas irresponsables o malas.

(4) *Algunos males físicos son un derivado de actividades buenas.* Alguna persona que va al lago para pasear en lancha o nadar podrá morir ahogado. Esquiadores, escaladores de montañas, paracaidistas pueden alguna vez sufrir heridas o la muerte practicando su deporte. Hasta un viaje en auto u ómnibus para ir al templo puede terminar en graves heridas o en la muerte.

(5) *Algunos males físicos son el resultado de las actividades de los malos espíritus.* Los sufrimientos de Job se atribuyeron a Satanás (Job 1:6-12). Los malos espíritus oprimen y afligen a las personas con enfermedades (Mat. 17:14-18; Luc. 13:11).

(6) *Algunos males físicos son advertencias de Dios de peores males físicos.* Un dolor de muelas puede prevenir una caries peor en el futuro. Los dolores de pecho, si son atendidos, pueden prevenir una muerte innecesaria. El dolor de perder a un ser querido que sufría de cáncer puede impulsar a sus familiares a hacerse exámenes de cáncer.

(7) *Algunos males físicos son advertencias de Dios de males morales.* El dolor y la tragedia captan nuestra atención y hacen que busquemos a Dios como pocas otras circunstancias pueden hacerlo. Pablo escribió de la ira de Dios que lleva al arrepentimiento (Rom. 2:4). C. S. Lewis se refirió al dolor como "el megáfono de Dios".

(8) *Algunos males físicos son permitidos para impulsar el desarrollo moral.* Sin tribulación no habría paciencia. Los hermanos de José lo vendieron como esclavo, pero él los perdonó y dijo: "Vosotros pensasteis hacerme mal, pero Dios lo encaminó para bien" (Gén. 50:20). Job sufrió mucho y dijo: "El [Dios] conoce el camino en que ando; cuando él me haya probado, saldré como oro" (Job 23:10).

(9) *Algunos males físicos ocurren porque seres más desarrollados viven de los menos desarrollados.* En el mundo físico, los pájaros comen gusanos, los gatos comen pájaros, los niños crueles torturan a los gatos. De la misma manera, personas y potencias mayores que nosotros nos persiguen y perjudican sin razón. Algunas veces podemos defendernos contra ellas y, otras veces, a pesar de nuestros esfuerzos, no podemos.

Entonces, ¿por qué nuestro Dios omnipotente no interviene milagrosamente y evita que suceda el mal físico? Primero, Dios a veces sí interviene (cuando lo considera necesario para su plan de salvación integral), pero para hacerlo regularmente, tendría que interferir con el pleno ejercicio del libre albedrío, dejándonos con un mundo no totalmente moral. Segundo, en un mundo de constante intervención divina contra acciones malas, cesaría todo aprendizaje moral. Nunca tendríamos la experiencia de las malas consecuencias de malas decisiones y por ende llegar a toda nuestra potencialidad por progresar o realizarnos moralmente.

2. *¿Por qué un Dios de amor permite que sus creaciones humanas se maltraten? ¿Por qué deja que algunos se conviertan en homicidas, violadores, maltratadores de niños, abortistas, etc.?*

La verdadera pregunta detrás de estas inquietudes es: "¿Por qué hizo Dios criaturas con libre albedrío cuando sabía que algunas elegirían el mal?" Porque crear al ser humano con libertad de escoger era la mejor alternativa de por lo menos cuatro opciones que tenía el Dios de amor. Primero, podría haber evitado el pecado totalmente escogiendo ni siquiera crear el mundo. Pero Dios es amor y, como un padre cariñoso, quería una familia con quien compartir su amor. Segundo, podría haber creado un mundo poblado por criaturas que le aman sin otra alternativa. El amor forzado es una contradicción de términos. Los robots realmente no aman; están programados para responder. Tercero, hipotéticamente podría haber creado un mundo donde el ser humano tuviera la libertad de decidir pero que nunca pecaría. Pero, dado que tiene la libertad de pecar, esto nunca fue así. Cuarto, podría haber creado un mundo donde el ser humano es libre y elige pecar, que es justamente lo que hizo. Así que Dios creó a Adán y Eva con la capacidad de obedecer y desobedecer, de amarle o no amarle a él y al prójimo. En definitiva, decidieron desobedecer y, en consecuencia, el pecado entró en la raza humana.

A algunos les puede parecer una clara contradicción de la santidad de Dios el que escogiera la única opción en la que el mal pudiera ocurrir. Los seres humanos libres pueden —y lo hacen— optar por rechazarlo, burlarse de él y desobedecerle sin disimulos. Y los seres humanos se violan y se perjudican unos a otros con demasiada facilidad. Aun así, el pecado fue la posibilidad que Dios permitió a fin de amarnos y permitir que le amemos a él de la mejor manera posible.

5

El amor en el lenguaje de todos los días

Usamos la palabra amor en nuestras conversaciones de todos los días casi sin notarla.

* Mi vecina es un amor.
* Mi amor, alcánzame el periódico.
* Te amo, mi amor, con todo mi corazón.
* Me enamoré de ese auto.

Encienda la radio o la televisión a cualquier hora del día y la noche.

Es imposible escaparse del amor. Lo cantan por radio, lo dramatizan en las novelas (muchas veces ¡hacen de él un melodrama!), se presenta con risa en los programas humorísticos y se menoscaba en programas menos cómicos.

* El amor no puede ser malo si me hace sentir tan bien.
* Voy a tener un hijo de nuestro amor.
* Si no puedes estar con el que amas, ama al que está contigo.
* Te amo por lo que haces por mí.
* Si de veras me amas, me lo demostrarás.
* Lo que el mundo necesita es amor, dulce amor.
* Quiero tu amor, necesito tu amor (¡Ay nena, nena, nena!).

La palabra *amor* tiene muchos significados en nuestra sociedad. Cuando hablamos del amor, es importante saber exactamente a qué clase de amor nos referimos. Por ejemplo, si un hombre no ve la diferencia entre querer a su perro de caza, querer a su pasatiempo y querer a su esposa su problema es serio. La mujer tiene que saber que su cariño por las dalias en su jardín, y su cariño por sus hijos son dos niveles diferentes de amor. Y si vamos a captar la vital importancia del amor como el bien definitivo para realizar: el amor que fluye de la naturaleza misma de Dios, mejor será que sepamos si nos estamos refiriendo al tipo de amor que satura nuestra cultura actual originándose en centros poderosos como Hollywood y el mundo musical y de la farándula.

Amor es...

El apóstol Pablo dedica todo un capítulo al tema del amor (1 Cor. 13). En una sección, escribe con entusiasmo varias palabras y frases descriptivas: "El amor tiene paciencia y es bondadoso. El amor no es celoso. El amor no es ostentoso, ni se hace arrogante. No es indecoroso, ni busca lo suyo propio. No se irrita, ni lleva cuentas del mal. No se goza de la injusticia, sino que se regocija con la verdad. Todo lo sufre, todo lo cree, todo lo espera, todo lo soporta" (vv. 4-7). Cuando se le pide a los cristianos que den una definición del auténtico amor —el tipo de amor que es la naturaleza de Dios y que debemos practicar— con frecuencia señalan este párrafo o repiten como loros algunas de sus frases.

Primera Corintios 13 es una buena descripción de lo que el amor *hace* y no *hace*. Y de esta descripción y otras en las Escrituras, podemos llegar a una declaración concisa que define lo que el amor es. *El amor quiere y obra para el bien del ser amado.* Dicho de otra manera, *el amor es hacer que la salud, la felicidad y el progreso de otra persona sea tan importante como el propio.* ¿Es nuestra salud, felicidad y progreso importante para nosotros? ¡Por supuesto! Todos trabajamos mucho para ser felices, sentirnos seguros y prosperar. Cualquiera que tenga siquiera un gramo de ambición quiere crecer como cristiano, adelantar en su trabajo, encontrar amigos y profundizar sus amistades y, en general, mejorar su vida. Es parte de nuestra conformación como seres humanos querer no sólo subsistir sino progresar como individuos en todas las formas posibles.

El amor auténtico demanda que nos importe el éxito y desarrollo de otros tanto como nos importa el nuestro. Esta es la instrucción de Pablo en Filipenses 2:4: "No considerando cada cual solamente los intereses propios, sino considerando cada uno también los intereses de los demás." También escribió Pablo: "El amor no hace mal al prójimo" (Rom. 13:10). En lugar de hacer mal, el amor hace lo que es bueno y correcto para los demás. Recuerde: Todos tenemos un sentido de lo que es bueno y lo que es malo, un sentido de moralidad. Descubrimos esta creencia personal del bien y del mal cuando determinamos cómo esperamos que los demás nos traten. El amor sencillamente dice: "Trata bien a los demás, como quieres que te traten bien a ti." Lo que nos lleva nuevamente a la Regla de Oro que nos dio Jesús: "Así que, todo lo que queráis que los hombres hagan con vosotros, así también haced por ellos" (Mat. 7:12).

¿Cómo se aplica esta definición en la práctica? Aquí van varios ejemplos. Si a usted le parece razonable que su esposa mantenga ocupados a sus hijos mientras usted mira el partido de fútbol en televisión, el amor requiere que usted le dé "tiempo libre a mamá" cuando ella lo pide o necesita. Si usted espera que su jefe lo trate con respeto, el amor requiere que usted lo trate a él con respeto y no hable mal de él a sus compañeros de trabajo o clientes. Si usted cree que su pastor debe dar más atención a las necesidades espirituales de usted, el amor requiere que usted haga su parte para suplir las necesidades de él, tal como orar por él consecuentemente o defenderlo contra los chismes.

La acción de amor en la mayoría de los casos no es difícil de discernir. Sencillamente póngase usted en el lugar de la otra persona y pregunte: "¿Qué sería lo mejor que pudiera desear si se tratara de mí?" Cuando determina la respuesta, el amor requiere que haga lo mejor que puede hacer, según la oportunidad y su capacidad.

Cuando hacemos que la salud, felicidad y el progreso de los demás sean una prioridad, estamos siguiendo el ejemplo del Dios de amor. Dios quiere sólo lo mejor para toda persona, tal como lo comprueban sus hechos.

Primero, nos creó a su imagen y semejanza (Gén. 1:27). El podría habernos hecho a imagen de los ángeles o de otras criaturas hermosas. Pero la humanidad fue la corona de la creación de Dios, y lo mejor que nos pudo dar fue que reflejemos su naturaleza. Así que Dios hizo a los seres humanos "un poco menor que los ángeles y [los ha] coronado de gloria y honra (Sal. 8:5). ¿Qué mejor modelo podríamos pedir que ser formados a la imagen de Dios y ser coronados de gloria y honra?

Segundo, Dios quiere lo mejor para nosotros sustentando nuestra vida sobre este planeta por medio de su poder amante. Esdras oró: "Tú eres Jehovah; tú hiciste los cielos,... la tierra y todo lo que hay en ella... Tú sostienes con vida a todos" (Neh. 9:6). Pablo escribió: "Todo fue creado por medio de él y para él. El antecede a todas las cosas, y en él todas las cosas subsisten" (Col. 1:16, 17). Dios no sólo nos dio vida, también la sustenta.

Hebreos 1:3 declara que Cristo "sustenta todas las cosas con la palabra de su poder". Si dejara de sustentarnos por un instante desaparecería el planeta Tierra, y todo lo que hay en él —incluyendo nosotros— y el universo a su alrededor. Debemos nuestra existencia al Dios que nos sostiene en una expresión constante de su amor.

Tercero, Dios demostró que quiere lo mejor para la humanidad pecadora al redimirnos pagando un alto precio. Cuando Jesucristo murió en la cruz, murió por todos (2 Cor. 5:15), aun por los que nunca responden a su amor. Juan declaró: "El es la expiación por nuestros pecados, y no solamente por los nuestros, sino también por los de todo el mundo" (1 Jn. 2:2). Además, Dios no quiere que nadie perezca sino que todos se arrepientan (2 Ped. 3:9). El mejor cuadro para la creación humana de Dios es que vivamos en comunión con él a través del tiempo y la eternidad. En su amor, Dios ha actuado a fin de que ese cuadro fuera realidad para todos los que eligen andar por el camino de él.

El hecho de que algunos se nieguen a aceptar el regalo de la salvación, escogiendo en cambio andar por sus propios caminos, demuestra una característica vital del verdadero amor. El amor que procede de la naturaleza de Dios, el amor que se nos ordena expresar en nuestras relaciones, él nos lo brinda sin pedir que se le devuelva. "Porque de tal manera amó Dios al mundo, que ha dado a su Hijo unigénito, para que todo aquel que en él cree..." (Juan 3:16). Las palabras resolutivas aquí son "todo aquel". Cuando Dios dio a su Hijo, sabía muy bien que algunos creerían y otros no. Juan escribió: "A lo suyo vino, pero los suyos no le recibieron" (Juan 1:11).

En realidad, aun nuestra libertad de elegir es un regalo de amor que viene de Dios, quien considera que es para nuestro beneficio no forzarnos a devolver su amor. Dios *anhela* que todos le amen, pero no *demanda* que lo hagamos. Igualmente, el amor por los demás es *ordenado* pero no *demandado* por Dios. No obstante, Cristo murió por todos, aun por los que lo rechazan. Considere los ejemplos de amor que encontramos en Jesús. Sabía que Judas lo traicionaría, pero aun así lo amaba y lo llamó para ser su discípulo. Cuando la multitud clamaba: "¡Crucifícale!", Jesús respondió: "Padre, perdónalos, porque no saben lo que hacen" (Luc. 23:34). El amor de Dios persiste sea que lo aceptemos o no. Pablo escribió: "Si somos infieles, él permanece fiel, porque no puede negarse a sí mismo" (2 Tim. 2:13). Dar sin demandar retribución es la naturaleza de Dios y, por lo tanto, es la naturaleza del verdadero amor, porque Dios es amor.

Al igual que Cristo, puede ser que usted enfrente el rechazo cuando decide amar como Dios ama. Puede usted "hacer por otros lo que quiere que ellos hagan por usted" y encontrarse con que su acción de amor no es apreciada o es echada en cara. Por ejemplo, cuando su vecino se va de viaje, usted se ofrece para dar de comer y cuidar su perro. Usted piensa que eso es ser buen vecino. Pero cuando le pide a su vecino que haga lo mismo por usted, responde: "¿Está bromeando? Yo no tengo tiempo, y su perro es una gran molestia que siempre se está babeando." Le compra usted a su hija una sorpresita y ella se queja: "Qué regalo tonto. Es feo y no lo quiero." O se queda en el trabajo después de hora para echarle una mano a un compañero a fin de que pueda terminar su trabajo y lo que le dice es: "No necesito su ayuda. Además, lo único que usted quiere es quedar bien con el jefe."

Si nos dejamos llevar por nuestros sentimientos en situaciones como éstas, podemos sentirnos tentados a olvidar las oportunidades futuras que se pueden presentar para amar a esas personas. Pero el amor auténtico no se da esperando ser retribuido. El amor se da porque le importan la salud, la felicidad y el progreso de los demás, y punto. Ya sea que sus acciones o demostraciones sean recibidas bien o no, el amor sigue brindándose. Cuando niega usted su amor porque alguien lo pasa por alto o no lo aprecia como debe, no está usted amando con el amor que procede de Dios.

De igual manera, el amor se da aunque no nos guste todo de las personas a quienes decidimos amar. Esto también es un reflejo del amor de Dios. Dios odia el pecado al punto de que ni lo puede mirar (Hab. 1:13). En nuestra condición pecaminosa, no había nada en nosotros para que a Dios le gustara. No obstante, nos amó y nos dio lo mejor para nosotros, su Hijo unigénito. Siguiendo su ejemplo, puede usted decidir ir a cantar villancicos a un hogar de ancianos en vísperas de Navidad aunque no le guste percibir los olores o ver los rostros tristes y los cuerpos acabados de los residentes. Puede ofrecerse nuevamente a cuidar el perro de su vecino poco amable aunque no le gusta lo que dice del perro de usted. Puede seguir ofreciendo su ayuda al compañero de trabajo desconfiado y desagradecido. O puede determinar orar por los funcionarios del gobierno cuyas políticas y posiciones son contrarias a las suyas. Cuando quiera que se brinde usted con amor para servir a alguien, aun si éste lo ha ofendido de alguna manera, está demostrando el amor de Dios.

Un proveedor y protector

Dios nos ha dado una perspectiva provechosa sobre el tipo de amor que es parte de su naturaleza y que debemos poner en práctica. La encontramos en las instrucciones de Pablo en Efesios 5:28, 29: "De igual manera, los esposos deben amar a sus esposas como a sus propios cuerpos. El que ama a su esposa, a sí mismo se ama. Porque nadie aborreció jamás a su propio cuerpo, más bien, lo sustenta y lo cuida, tal como Cristo a la iglesia." En estas instrucciones tenemos más que una aplicación específica en el sentido de que los esposos amen a sus esposas. Note varias cosas en este versículo.

Primero, el tipo de amor del cual Pablo habla concerniente a los maridos es el tipo de amor que Cristo tiene para la iglesia. Cuando Dios nos pide que amemos, siempre nos insta a seguir su ejemplo. No nos llama a hacer algo en lo cual él no es el ejemplo perfecto. El amor auténtico siempre tiene a Dios como su origen.

Segundo, las indicaciones a los maridos aquí, reflejan el mandato de Jesús de amar a los demás que encontramos en Mateo 22:39: "Amarás a tu prójimo como a ti mismo." O sea que no sólo los maridos sino que todos los cristianos debemos amar a nuestros prójimos como a nosotros mismos. Otra vez entra en juego la Regla de Oro: Hemos de amar a los demás como queremos y esperamos que ellos nos amen a nosotros. Este mandato a los maridos es una aplicación del mandamiento de amar al prójimo.

Tercero, estos versículos nos indican claramente cómo nos hemos de amar a nosotros mismos y, en consecuencia, cómo hemos de amar a los demás: "Nadie aborreció jamás a su propio cuerpo; más bien, lo sustenta y lo cuida" (Ef. 5:29). Lo sustenta y lo cuida son términos clave para poder comprender cómo hemos de hacer que la salud, la felicidad y el progreso de los demás sean tan importantes para nosotros como lo son los nuestros propios. Así como todos nos preocupamos y ocupamos de asegurarnos de que nuestras necesidades físicas, emocionales y espirituales sean suplidas, así también hemos de preocuparnos y ocuparnos de suplir las necesidades ajenas, no sólo de nuestro cónyuge como indica Pablo, sino las de todos, como lo ordenó Jesús. Eso es amor.

Este versículo contiene dos palabras hermosas: sustenta y cuida. Así como sustentamos y cuidamos nuestros propios cuerpos, hemos de sustentar y cuidar a nuestros prójimos.

Sustentar significa nutrir hasta lograr madurez. Nos recuerda el crecimiento del jovencito Jesús en Nazaret como lo describe Lucas 2:52: "Y Jesús crecía en sabiduría, en estatura y en gracia para con Dios y los hombres." Sustentar significa cuidar y contribuir a la formación integral de la persona: mental, física, espiritual y social. El amor es un proveedor. Requiere que proveamos lo necesario para que los demás gocen de salud, felicidad y progreso a fin de que lleguen a la madurez, de la misma manera como proveemos lo necesario para nuestra propia salud, felicidad y progreso.

Cuidar significa proteger de los elementos. Imagínese un nido de aguiluchos recién nacidos en el corte de una montaña, expuestos a la intemperie. Se viene una tormenta. La mamá águila vuela hasta el nido y extiende sus alas sobre los aguiluchos para protegerlos de la fuerte lluvia y los remolinos causados por el viento. Es éste un cuadro de lo que significa cuidar.

Efesios 5:29 nos dice que es natural para nosotros cuidarnos a nosotros mismos, es decir protegernos de cualquier cosa que represente un peligro mental, físico, espiritual y al bienestar social. Abrochamos el cinturón de seguridad y manejamos con cuidado para prevenir un perjuicio físico o la muerte en la carretera. Controlamos las grasas y calorías que comemos para mantener sanos nuestros cuerpos. Aprendemos a resistir cuando nos sentimos tentados a desviarnos de la obediencia a Cristo. Evitamos contacto con las personas que son una mala influencia sobre nuestras creencias o conducta. En resumidas cuentas, por lo general nos guardamos de cualquier cosa que afecta negativamente nuestras vidas. El amor es un protector tanto como un proveedor. El amor requiere que hagamos todo lo posible por proteger a los demás de cualquier cosa que pueda desviarlos o impedir su madurez, de la misma manera como nos protegemos a nosotros mismos.

Amar significa sustentar y cuidar, es decir, proveer y proteger. ¿Cómo se aplica esto en la realidad? Para los cónyuges, significa, darle al otro de vez en cuando un respiro de los niños para que puedan tener actividades como un devocional personal, clases y cursillos, pasatiempos favoritos como pescar, ir a las tiendas, trabajar en el taller o hacer algún deporte. Para las parejas de novios, significa que proveerá cada uno un ambiente sano en que su relación pueda crecer y que se protegerán el uno al otro de situaciones en que pueden comprometerse moralmente. Para las madres, significa que cuidarán que sus hijos coman alimentos sanos y vivan en un ambiente seguro. Y significa que proveerá usted pasatiempos sanos en el hogar y oportunidades para que sus hijos se eduquen y que los protegerá de videos, programas de televisión y música perjudiciales. Significa que proveerá de buenos materiales de lectura a esa amiga cristiana adicta a las novelas baratas que le están contaminando la mente.

En su mensaje a los maridos, Pablo presenta otro hermoso cuadro de nuestra meta al proveer lo necesario y proteger a los miembros de nuestra familia, amigos, vecinos, compañeros de trabajo y demás. La meta de Cristo para la iglesia que él ama es "santificarla, habiéndola purificado en el lavamiento del agua con la palabra, para presentársela a sí mismo, una iglesia gloriosa que no tenga mancha ni arruga ni cosa semejante, sino que sea santa y sin falta" (Ef. 5:26, 27). Su meta es proveer lo necesario para que logremos madurez y para protegernos de cualquier cosa que pueda manchar o arrugar nuestra vida. Es la obra divina que fluye del amor divino.

Ya que hemos de amar a los demás como Cristo nos ama, nuestra meta es tratar a los demás de manera que contribuyamos a su santidad y su gloria como hijos de Dios y protegerlos de la mancha del pecado y del dolor. Pregúntese con respecto a sus relaciones y encuentros personales:

* ¿Aporté algo a su hermosura y a su gloria como persona o quité de ellas?
* ¿Lo alenté para avanzar hacia la madurez o lo desalenté?
* ¿Lo encaminé hacia la santidad, o hacia el pecado?
* ¿Es ella más pura como resultado de nuestra relación o más manchada?

El amor siempre procura dejar a los demás más sanos y más maduros de lo que los encontramos, porque esa es la obra continua, amante de Cristo en nuestra vida.

Preguntas difíciles y respuestas sin rodeos sobre el amor auténtico

1. *¿Cómo sabe uno si de verdad ama a alguien?*

A diferencia de la opinión popular, el amor es más que un sentimiento lindo. La clave del verdadero amor es obedecer a Dios amando a otros más allá de meros sentimientos de devoción. Pregúntese, ya sea con respecto a una pareja romántica, un familiar, un compañero de trabajo, un vecino o un extraño: ¿Son la salud, la felicidad y el progreso de esta persona tan importantes para mí como los míos propios? ¿Estoy comprometido en ayudar a esta persona a lograr la madurez en todos los niveles: mental, físico, espiritual y social? ¿Estoy listo para proteger a esta persona de los elementos que amenazan su bienestar o frenan su progreso? ¿Estoy encaminando a esta persona hacia la santidad y piedad y no a transigir y pecar? Si puede usted contestar estas preguntas positivamente, verdaderamente ama a esa persona.

2. *¿Cómo se puede amar a alguien cuando uno no se siente con disposición de amarle?*

El amor no es algo que uno necesariamente siente; es algo que uno hace. Los buenos sentimientos acompañan a las acciones amantes, pero se nos ordena amar lo sintamos o no. Jesús no sintió ganas de dar su vida para redimir a la humanidad (Mat. 26:38, 39). La noche antes de su crucifixión, Jesús sufrió en el jardín. Le preguntó a su Padre si había alguna manera de librarse de la muerte de cruz. Pero amaba al Padre y cedió a su voluntad, y nos amó a nosotros y se convirtió en el sacrificio por nuestro pecado. Así es como hemos de amar. Actuamos en base a nuestra obediencia y amor a Dios, quien nos ordena amar a nuestros prójimos como él nos amó a nosotros.

Nuestra recompensa cuando empezamos a amar a aquellos que no nos sentimos dispuestos a amar es que con el tiempo podemos aprender a sentir cariño por ellos. Cuando hacemos lo correcto en amor, aunque no sintamos disposición de hacerlo, podemos aprender a disfrutar de hacerlo. Los buenos sentimientos muchas veces vienen después de las correctas y cariñosas decisiones y acciones.

3. *Cuando amamos a otros, procuramos lo mejor para ellos. Pero, ¿cómo podemos saber lo que es lo mejor para otra persona?*

Usted no puede saber lo que es lo mejor para cada persona en cada situación. Pero existen ciertas pautas que pueden ayudarle a discernir lo que es mejor para los demás en la mayoría de las situaciones. Primero, póngase en el lugar de ellos. ¿Cuál es el mejor bien posible que desearía en esta situación? En cuanto haya respondido a esa pregunta, haga por los demás lo que quisiera que los demás hagan por usted. Segundo, considere las Escrituras. Cuanto mejor conozca la Palabra de Dios, mejor preparado estará para guiar a alguien hacia una conducta sana, productiva. Tercero, recuerde su experiencia como cristiano. Las lecciones que ha aprendido "por las malas" pueden ayudarle a guiar a otros hacia lo mejor evitando desengaños y sufrimientos innecesarios. Cuarto, busque el consejo de cristianos maduros. Proverbios 15:22 dice: "Donde no hay consulta los planes se frustran, pero con multitud de consejeros, se realizan." Quinto, confíe en la dirección del Espíritu Santo. En toda situación, pídale a Dios que le muestre qué es lo mejor para la vida de la persona.

Tenga en cuenta, sin embargo, que aunque usted puede querer lo mejor para alguien, no puede forzar a nadie a que siga su consejo. Cada uno es responsable por su propia vida. Quizá quiera usted expresar su amor por una amiga, por ejemplo, protegiéndola de las consecuencias de su adicción a las drogas. Usted sabe que dejar de tomar drogas es lo mejor para ella. Puede aconsejarle, orar con ella, organizar una reunión de intervención para ella si lo cree necesario. Pero ella tiene que elegir lo mejor *por sí misma*; usted no puede elegir por ella. Y si sus esfuerzos fracasan y su amiga toma la decisión equivocada, usted no tiene la culpa. Si la gente rechaza su amor, no significa que usted no ha amado. Usted puede únicamente proveer ayuda y protección; el otro tiene que decidir aceptar su ofrecimiento.

6

Los contrastes
del amor

Jorge, estudiante universitario, camina por el pasillo después de inscribirse para los cursos de segundo año. Mira a su alrededor para ver qué tal son las chicas que vienen a inscribirse en el primer año. No puede quejarse, hay algunas muy bonitas. Luego, cuando ya va llegando a la entrada, sucede. Ve a Mónica por primera vez y queda petrificado. Mónica no sólo es bonita, es una diosa. Jorge queda impactado por su cabello sedoso, ojos vivaces, cutis de porcelana y un cuerpo digno de una modelo. Nunca había visto mujer más hermosa.

El corazón de Jorge empieza a palpitar locamente, se le seca la boca y le sudan las manos. Lo único que quiere hacer es acercarse a Mónica, conocerla, tocarla. Finalmente saca fuerzas de flaquezas, da unos pasos hacia ella y se presenta. Hablan unos minutos y luego Mónica se despide con una sonrisa traviesa que a él le hace temblar las rodillas.

Durante las dos semanas que siguen, Jorge no puede comer, ni dormir, ni estudiar. No hace más que pensar en el rostro de Mónica. Programa sus días de modo que se la encuentra "accidentalmente" en la universidad. Conversan brevemente en la biblioteca, por los pasillos. Un par de veces almuerzan juntos, averigua su teléfono y aprovecha cualquier excusa para llamarla. No se cansa de verla, y ella parece co-

75

rresponderle. Cuando salen por primera vez "oficialmente" se toman de la mano en el cine y el corazón de Jorge parece que va a estallar. Al ir conociendo a Mónica le gusta todavía más que el primer día. Finalmente, una noche de luna, Jorge muy emocionado le dice:

—Mónica, eres maravillosa. Quiero estar contigo siempre.

Mónica suspira:

—Y yo contigo, Jorge.

Se nota a las claras que Jorge y Mónica se están enamorando. Pero, ¿qué tipo de amor es el suyo?

No todas las expresiones de amor son tan altruistas como el amor que protege y provee lo necesario para el bienestar del ser amado sin exigir ninguna retribución. Existen al menos dos otros tipos de amor en las relaciones humanas. Uno es un amor *egoísta* que se concentra más en el placer que obtiene de una relación dada. El otro es un amor *mutuo* en que cada uno toma y da. Estos contrastan con lo que llamamos verdadero amor, un amor *generoso* que se brinda sin exigir nada a cambio; procura la salud, felicidad y progreso de los demás; se compromete a proveer lo que sea para el bienestar del otro y a protegerlo. A veces estos tres amores se identifican con sus nombres griegos: *eros*, *filia* y *agape*. En su excelente libro *Los cuatro amores*, C. S. Lewis los llama eros, amistad y caridad respectivamente. Y agrega uno más: afecto, para representar el *storge* griego, o amor por la familia. Observemos los primeros tres.

Eros: Me haces sentir tan bien

Aunque otros tipos de amor pueden entrar en juego más adelante en su relación, Jorge y Mónica se han sentido atraídos por eros. Jorge buscó a Mónica porque su aspecto físico impactó sus sentidos y despertó sus apetitos masculinos. Siguió buscándola porque estar con Mónica le daba placer, satisfacción, un sentido de euforia. En resumidas cuentas, Jorge quería estar con Mónica porque ella lo hacía sentir muy bien. El hecho de que ella también quería estar con él intensificaba ese sentido de placer.

Eso es eros, amor que anhela la autogratificación. En su peor expresión, es un apetito animal. C. S. Lewis lo describe como un hombre buscando el placer para el cual la mujer por casualidad es el trozo de aparato que necesita. Cuánto realmente quiere a la mujer puede descubrirse cinco minutos después de haber obtenido lo que quiere.

En su mejor expresión, eros es el profundo anhelo físico y emocional por alguien del sexo opuesto, como el caso de Jorge y Mónica. C. S. Lewis lo llama enamorarse o estar enamorado, y puede darse aparte del insistente y prematuro deseo sexual. Lewis hace diferencia entre el eros noble e innoble: "El deseo sexual, sin eros quiere [placer sensual] en sí mismo; eros quiere al ser amado... Eros hace que el hombre desee, no a una mujer, sino a una mujer en particular. De alguna manera misteriosa pero sin lugar a ninguna duda el amante desea a la mujer amada misma, no al placer que ella le puede dar."

No tiene nada de malo "estar enamorado" en el mejor sentido de la palabra, como pueden atestiguarlo quienes se han enamorado. Pero eros es un fundamento débil para una relación duradera, sana. En realidad, el eros ni se necesita para tener un matrimonio exitoso. Considere la cantidad de culturas donde los matrimonios son contratados por los padres aún antes de que la novia y el novio se conozcan y, menos todavía, se enamoren. Habiéndose unido como esposo y esposa sin haber tenido cartas en el asunto, estas parejas se abocan a la tarea de establecer una relación basada en algo más que la atracción física. Y donde una pareja procura lo mejor para su compañero, el matrimonio tiene éxito. Si el amor entre hombre y mujer ha de florecer, debe ir más allá del eros romántico que busca su propio placer llegando a ser un amor que se centra en el otro y quiere satisfacer al otro.

Filia: Tienes un amigo

Don Javier y don Mauricio hacía años que se encontraban los sábados en la tarde para jugar al ajedrez. Al poco tiempo se les habían sumado don Rubén y don Alberto que también tienen pasión por el juego. Todos los sábados en la tarde, con sol o lluvia, los cuatro se encontraban en el parque y sobre la mesa bajo un alero abrían dos gastados tableros de ajedrez, y jugaban varias partidas. Nunca lo dijeron, pero todos sabían que los sábados en la tarde jugando al ajedrez con los amigos era el mejor rato de la semana. A veces se les acerca un extraño y los reta a una partida, y el reto siempre es aceptado. Pero aquellos vienen quizá dos o tres sábados y ya no los ven más, pero don Javier, Mauricio, Rubén y Alberto son infaltables y una parte tan permanente del paisaje sabatino como la estatua del prócer que parece observarlos en silencio.

Los cuatro amigos conversan mientras juegan, pero no de muchos temas. Por lo general hablan de campeonatos de ajedrez, jugadas famosas, grandes partidas que recuerdan y las estrategias de los campeones. Hace unos años don Javier y su esposa invitaron a comer a don Mauricio y doña Cata antes que ella muriera de cáncer. Pero no encontraron mucho de qué hablar fuera del ajedrez. Desde entonces, los dos se ven únicamente en el parque. No conocen a la esposa de don Rubén ni han estado en su casa. Y ninguno de los tres sabe dónde vive don Alberto, que es un hombre solo.

De vez en cuando los cuatro amigos ajedrecistas dialogan sobre sus carreras (dos son jubilados, dos por jubilarse), se jactan de sus hijos y de sus nietos o hablan de política. Pero siempre vuelven al tema del ajedrez. Si no tuvieran en común el ajedrez, es probable que nunca se hubieran conocido, o que de haberse conocido, no hubieran llegado a ser amigos. Después de tantos años, cada uno de los cuatro diría que los demás pueden contar con ellos para lo que fuera. Pero dan poco y demandan aún menos el uno del otro. Simplemente juegan al ajedrez.

Amor de amigos, o filia, es una relación de admiración mutua y de "dar y recibir" basada en un interés común. Lewis escribe: "La amistad debe tratarse de algo, aunque no sea más que un entusiasmo por los dominós o los animales favoritos. Los que nada tienen nada pueden compartir; los que no van a ninguna parte no pueden tener compañeros de viaje." Por lo general filia es menos egoísta que eros. Pero si un amigo toma demasiado y da poco, la amistad tiene una base débil. La amistad es también menos emocionalmente intensa que eros. Al contrastar ambas, Lewis dice: "Los enamorados siempre se están hablando de su amor; los amigos casi nunca hablan de su amistad. Los enamorados por lo general se miran cara a cara, absortos el uno en el otro; los amigos, lado a lado, absortos en algún interés común. Sobre todo, eros (mientras dura), es necesariamente exclusivo entre dos personas. Pero dos, lejos de ser la cantidad necesaria para la amistad, ni siquiera es la mejor."

Los amigos se cuidan entre sí cuando surge una necesidad, pero esa no es la razón principal por la cual los amigos son amigos. Se acercan el uno al otro por una tarea, idea, actividad, causa, creencia o experiencia que tienen en común. Atender alguna necesidad especial o responder a una emergencia del amigo es visto casi como una interrupción al verdadero propósito de la amistad. Como le dijera don Javier a don Mauricio en el entierro de doña Cata: "¿Nos vemos el sábado en el parque?"

Si el interés común entre amigos deja de ser, tiene que activarse un nivel más alto del amor para que la amistad continúe. Por ejemplo, cuando don Javier tuvo un derrame cerebral que lo dejó muy débil, don Rubén y don Alberto lo sintieron, pero jamás fueron a visitarlo. Su preocupación era encontrar un cuarto compañero para sus campeonatos semanales en el parque. Pero don Mauricio sí lo visitó en el hospital. Y cuando le dieron de alta, lo iba a ver a su casa dos o tres veces por semana. Don Javier ya no podía jugar al ajedrez con su amigo. De hecho, ya ni podía hablar de ajedrez porque debido al derrame no podía hablar. Sin embargo, su esposa siempre le comentaba que parecía más alerta cuando su viejo amigo se sentaba junto a su silla de ruedas y le hablaba de ajedrez y de política. Don Mauricio no recibía absolutamente nada a cambio de don Javier, pero seguía visitándolo. Su cariño por su amigo había alcanzado un nuevo nivel: un amor sacrificial que no pide nada a cambio.

Agape: Amor incondicional

Agape es amor que *pertenece* a Dios y que *procede* de Dios. Es el amor que da sin esperar nada a cambio. Es el amor que da a la salud, felicidad y progreso de otros la misma importancia que los propios. Es el amor que se compromete a proveer lo que es para el bien del otro y protegerlo, para contribuir a su pureza. Agregado al eros, ágape puede transformar a un romance en un matrimonio dinámico, pleno. Agregado a filia, ágape puede transformar a una simple amistad en un lazo cálido y significativo de servicio altruista.

C. S. Lewis llama al ágape "amor regalo". Agape es el amor de Dios quien, no necesitando nada, "hace nacer de su amor criaturas superfluas a fin de poder amarlas y perfeccionarlas". El "amor regalo" de Dios se mostró supremamente en el regalo de su Hijo para nuestra redención. Juan escribió: "En esto consiste el amor: no en que nosotros hayamos amado a Dios, sino que él nos amó a nosotros y envió a su Hijo en expiación por nuestros pecados" (1 Jn. 4:10).

El amor regalo está a disposición de la creación humana de Dios para usar por lo menos de dos maneras. La primera es en nuestro mejor intento de amar altruista y sacrificadamente. Lewis lo llama el amor-regalo *humano*. Hay en nuestra naturaleza misma una cantidad limitada de amor ágape. Podemos ver a muchos cristianos al igual que muchos decididamente no cristianos dándose a sí mismos y dando de sus bienes con sacrificio para ayudar a sus prójimos. Pero el amor-regalo humano, aunque sin duda generoso, siempre tiene sus limitaciones.

Solos, somos incapaces de amar como Dios ama. Amamos a los que de alguna manera nos resultan dignos de amar. Amamos a los que son agradecidos y merecedores de nuestro cariño o a aquellos cuyas necesidades más nos conmueven. Con el ágape humano podemos amar de la mejor forma humanamente posible, con mucha más nobleza que el egocentrismo del eros o el "dar y tomar" de filia. Las visitas cariñosas de don Javier a don Mauricio después del derrame cerebral de éste demuestran un amor más elevado que la buena amistad alrededor del tablero de ajedrez. Pero el más sacrificado amor humano que puede haber no puede compararse con la expresión del ágape de Dios.

El mejor exponente del ágape es lo que Lewis llama el amor-regalo *divino*, que es el amor de Dios —en realidad, el Dios de amor que mora en nosotros— obrando por medio de nosotros para proteger y proveer lo que es para el bienestar ajeno. Sólo el amor de Dios nos permite amar a cualquiera y a todos sin pedir nada a cambio o, al decir de Lewis: "Amar lo que no despierta amor: a los leprosos, criminales, enemigos, idiotas, malhumorados, los superiores y los que nos desprecian." Es a este nivel de amor que nos llamó Jesús cuando dijo: "Amad a vuestros enemigos" (Mat. 5:44); "Amarás a tu prójimo como a ti mismo" (Mat. 22:39); "Este es mi mandamiento: que os améis los unos a los otros, como yo os he amado" (Juan 15:12).

Pablo se estaba refiriendo al ágape divino cuando mandó: "Todas vuestras cosas sean hechas con amor" (1 Cor. 16:14); "Y andad en amor, como Cristo también nos amó y se entregó a sí mismo por nosotros" (Ef. 5:2). Pedro se hizo eco al mandato: "Sobre todo, tened entre vosotros un ferviente amor" (1 Ped. 4:8). Lo mismo aconsejó Juan: "Amémonos unos a otros, porque el amor es de Dios... ya que Dios nos amó así, también nosotros debemos amarnos unos a otros" (1 Jn. 4:7, 11).

Pero si cree usted que el amor-regalo divino que los cristianos debemos poner en práctica es un amor tipo "telenovela", o que se deja pisotear, considere algunas implicaciones más del ágape.

Primero, *el amor incluye disciplina*. Dios es el Padre cariñoso perfecto, no obstante "disciplina al que ama y castiga a todo el que recibe como hijo" (Heb. 12:6). Proverbios 13:24 declara: "El que detiene el castigo aborrece a su hijo, pero el que lo ama se esmera en corregirlo." El amor no es blando con los que hacen el mal ni deja pasar las cosas. El amor confronta a los que yerran —un hijo desobediente, un empleado perezoso, un miembro de la iglesia en flagrante pecado, un jefe deshonesto— porque el amor que confronta, en definitiva los protege de las dolorosas consecuencias de su mala conducta. El amor acepta al que ofende a la vez que rechaza firmemente la ofensa. Por ejemplo, el amor por un amigo o pariente adicto a las drogas o al alcohol puede impulsarlo a usted a internarlo en contra de su voluntad para ser tratado de su mal.

Segundo, *el amor puede ser duro*. Jesús, la personificación del amor de Dios, mostró su enojo contra sus opositores (Mar. 3:5), maldijo en voz alta a los hipócritas (Mat. 23) y echó físicamente del templo a los avaros mercaderes (Juan 2). El amor por su jefe puede requerir que arriesgue su empleo por confrontarlo con un negocio sucio que hizo. El amor puede llevarle a debatir con un dirigente cívico que está desviando moralmente a la comunidad. El amor divino es paciente y bondadoso, pero dista de ser débil o servil. Puede ser duro cuando tiene que serlo a fin de proteger y proveer lo que es para el bienestar ajeno.

Tercero, *el amor puede fallar*. Primera Corintios no dice "El amor nunca falla" sino "El amor nunca deja de ser". La triste realidad es que no todos son ganados por el amor. Dios amó plena y perfectamente a Adán y Eva en el jardín, pero su amor no pudo prevenir que escogieran pecar. El amor de Dios por el no creyente nunca deja de ser, pero sí falla, como lo evidencia la realidad del infierno y los muchos que han escogido pasar allí la eternidad. No obstante, el amor de Dios es eterno porque él es eterno. Sigue demostrando su amor al mundo aunque algunos lo rechacen. Nosotros igualmente hemos de poner en práctica el ágape divino sabiendo que nuestros esfuerzos pueden fallar y no influir sobre aquellos a quienes amamos. En otras palabras, puede usted dedicar su tiempo, energía y medios para proteger y proveer lo que es para el bienestar de una persona, sólo para descubrir que ella no tiene interés en usted, ni lo que quiere proveerle, ni su protección. Pero el viejo proverbio se aplica bien al ágape divino: Es mejor haber amado y perdido que nunca haber amado. Aun Dios amó y perdió a un tercio de sus ángeles (Apoc. 12:4). Jesús amó y perdió a uno de sus apóstoles (Juan 17:12). Y amó a todo el mundo (Juan 3:16) pero muchos se perderán (Mat. 7:13, 14).

Además, el amor no es una opción para el cristiano. No sólo es el amor un absoluto moral universal (todo ser humano espera ser amado y por lo tanto debe amar a los demás), es también un imperativo bíblico a dos niveles vitales, como investigaremos a continuación.

Preguntas difíciles y respuestas sin rodeos sobre los tipos de amor

1. *¿Es malo que los cristianos se "enamoren" o todas nuestras relaciones de noviazgo y matrimonio deben basarse exclusivamente en el amor ágape?*

Si todo el eros fuera malo, tendríamos que borrar de nuestras Biblias el Cantar de los Cantares de Salomón. La atracción física y el deseo sexual entre un hombre y una mujer son naturales y normales, parte de los designios de Dios. El poema de Salomón exalta los placeres eróticos en la relación matrimonial. La historia de amor de Jacob y Raquel también muestra al eros como algo positivo, aun en una sociedad donde los matrimonios por lo general eran arreglados por los padres: "Raquel tenía una bella figura y un hermoso semblante. Y Jacob... se había enamorado de Raquel... Así trabajó Jacob por Raquel siete años, los cuales le parecieron como unos pocos días, porque la amaba" (Gén. 29:17, 18, 20). Proverbios 5:18,19 aconseja: "Alégrate con la mujer de tu juventud... Sus pechos te satisfagan en todo tiempo, y en su amor recréate siempre." Pablo escribió: "La esposa no tiene autoridad sobre su propio cuerpo, sino su esposo; asimismo el esposo tampoco tiene autoridad sobre su propio cuerpo, sino su esposa" (1 Cor. 7:4). El escritor de Hebreos declaró: "Honroso es para todos el matrimonio, y pura la relación conyugal" (13:4). Resulta claro, por lo que dicen las Escrituras, que enamorarse, estar enamorado y gozar de la dimensión erótica y sexual del amor dentro del matrimonio son regalos de Dios.

Así como sucede con todos los regalos que Dios nos da, el problema con el eros entre los cristianos es que se usa mal. La atracción física y el deseo sexual deben mantenerse dentro de los límites que Dios ha establecido. Por ejemplo, una pareja soltera puede sentirse fuertemente atraída el uno al otro por el eros, pero la actividad sexual de ellos tiene que ser reservada hasta casarse. A la pareja casada, eros le brinda chispa, excitación, recreación y diversión en medio de las luchas y los aburrimientos de la vida. Pero la atracción o el deseo por alguien que no sea el cónyuge de uno debe ser abandonado y frenado. La actividad sexual fuera del matrimonio es pecado (1 Tes. 4:3-8).

Además, la atracción física y el deseo sexual constituyen un fundamento insuficiente para una relación duradera, sana entre un hombre y una mujer. Eros puede ser bueno para juntar a dos personas, pero nunca fue diseñado para mantenerlas juntas. Con el correr del tiempo, la atracción sexual puede disminuir, y la función sexual puede cesar debido a una enfermedad o lesión. El matrimonio que depende de los sentimientos eróticos está destinado al fracaso. Una relación tiene que progresar para incluir la amistad y el amor ágape desinteresado si ha de tener éxito como matrimonio cristiano.

2. *¿Dónde tenemos los cristianos que establecer los límites en nuestras relaciones amorosas con los que no son cristianos?*

En cuanto al amor ágape, las Escrituras nos dan bastante amplitud. Pablo aconsejó: "No debáis a nadie nada, salvo el amaros unos a otros; porque el que ama al prójimo ha cumplido la ley" (Rom. 13:8) y "mientras tengamos oportunidad, hagamos el bien a todos" (Gál. 6:10). Por lo general, hemos de considerar la salud, la felicidad y el progreso de cualquiera y de todos los que conocemos tan importante como los nuestros propios. En la práctica, no bastan las horas del día para amar a todos los que nos rodean que necesitan salud, felicidad y progreso. Por eso Pablo dijo: "Mientras tengamos oportunidad." Existen prioridades bíblicas a considerar ante la posibilidad de proveer lo que otros necesitan y de protegerlos. En los próximos capítulos consideraremos estas prioridades.

En cuanto al filia o amistad, muchos cristianos creen que no debemos tener buenos amigos entre inconversos. Citan a Santiago 4:4: "Cualquiera que quiere ser amigo del mundo se constituye enemigo de Dios." Pero este versículo se refiere a ser amigos del *sistema* de creencias y conductas del mundo, no a la *gente* del mundo. Jesús pasó tanto tiempo entre inconversos, que lo tildaban de ser amigo de pecadores (Luc. 15:2). Asistía a sus banquetes y visitaba sus hogares (Luc. 9:1-10). Era su disposición y búsqueda de "pecadores" como Zaqueo lo que ofrece un claro ejemplo de su misión de "buscar y... salvar lo que se había perdido" (Luc. 19:10).

Las palabras de Jesús introducen una expresión clave para cualquier amistad que podemos entablar con no creyentes: *influencia*. Si puede usted tener una amistad así y todavía mantener una influencia positiva para Cristo, la relación puede funcionar. Pero si está usted siendo influenciado negativamente debido a la amistad y si está comprometiendo sus creencias y testimonio cristiano, es probable que la amistad sea malsana. O sea que si los integrantes de su equipo deportivo le están influenciando más con lo mundano que lo que usted los está influenciando para que se acerquen a Cristo, mejor será que se busque otro pasatiempo. Pero si se suma usted al equipo para divertirse y compartir a Cristo por medio de su vida y sus palabras y puede usted controlar la dirección que toma la influencia, su amistad es como la amistad de Cristo con los "pecadores" de su época.

En cuanto al eros y los no creyentes, las Escrituras son muy claras: "No os unáis en yugo desigual con los no creyentes. Porque ¿qué compañerismo tiene la rectitud con el desorden? ¿Qué comunión tiene la luz con las tinieblas?" (2 Cor. 6:14). Para el cristiano (o cristiana) soltero, una atracción del eros hacia alguien que no es creyente es una tentación que puede terminar en una unión desigual. Puede uno argumentar: "Pero si salgo con él, puedo ganarlo para Cristo. Si no lo hago quizá nunca tenga oportunidad de saber de Cristo." No se engañe. Si se ha vinculado sentimentalmente con él, mejor será que ore por su salvación que arriesgar una relación íntima comprometedora.

En el caso de cristianos casados, una fuerte atracción del eros por un vecino, compañero de trabajo o extraño inconverso debe ser considerado como un serio peligro para la santidad de su matrimonio. Valiéndose del poder de Cristo, manténgase firme contra todos los pensamientos y sentimientos pecadores. Evite el contacto social con la persona en cuestión o los pensamientos fantasiosos sobre ella. Si fuere necesario, admita su atracción a su cónyuge o a un amigo o consejero que pueda orar con usted y ayudarle a controlar dichos pensamientos y sentimientos.

7

El imperativo del amor

Hace algunos años yo (Josh) pasé un verano enseñando en la sede central de Cruzada Estudiantil y Profesional para Cristo que en aquel entonces estaba en Arrowhead Springs, al pie de las montañas de San Bernardino en el sur de California. Ese verano, mi familia y yo radicamos en Blue Jay, un simpático pueblecito junto a un lago en las montañas. Dos veces al día descendía con el auto a Arrowhead Springs: una vez en la mañana y otra vez en la tarde.

El valle de San Bernardino es caluroso en verano, con temperaturas que muchas veces sobrepasan los 40 grados. Durante mis idas y venidas subiendo o bajando por la serpenteante y empinada carretera veía con frecuencia autos parados al costado del camino, con sus capotas abiertas y vapor humeando de los radiadores. Pronto me di cuenta de que mi ministerio para Dios en la sede de Cruzada Estudiantil sería incompleto si no hacía algo para ayudar a los automovilistas varados con quienes me cruzaba. Todo mi hablar de amar a Dios no significaba nada si no demostraba amor por estas personas que necesitaban ayuda.

Es así que se me ocurrió una idea. Compré cuatro botellones, los llené de agua y los puse en el baúl del auto. Cuando me encontraba con un auto sobrecalentado en mis viajes diarios, paraba y me ofrecía para llenarles de agua el radiador. Todos aceptaban encantados y agradecidos por mi ayuda. Una vez lleno el radiador, les obsequiaba un ejemplar de mi libro *Más que un carpintero*, y les hablaba de Cristo. Aquel fue uno de los mejores veranos de mi vida.

El amor es un imperativo absolutamente obligatorio para el cristiano. Dios es amor y los que son nacidos de Dios tienen que expresar el amor de él. Jesús dijo: "En esto conocerán todos que sois mis discípulos, si tenéis amor los unos por los otros" (Juan 13:35). Y el amor siempre va en dos direcciones a la vez. Cuando uno ama a alguien en el nombre de Cristo, está amando también a Dios. Jesús enseñó que cuando servimos a cualquiera que necesita amor y cuidado le estamos sirviendo a él (Mat. 25:34-40). Y cuando uno ama a Dios, ama también a sus prójimos. Al igual que fe y acción, ambos son virtualmente inseparables. Santiago declaró: "Así también la fe, si no tiene obras, está muerta en sí misma" (Stg. 2:17). Juan escribió algo similar: "Si alguien dice: 'Yo amo a Dios' y odia a su hermano, es mentiroso. Porque el que no ama a su hermano a quien ha visto, no puede amar a Dios a quien no ha visto" (1 Jn. 4:20). No podemos escaparnos: Tenemos que amar. Cualquiera que no ama a Dios y a su prójimo no debe tener el atrevimiento de llamarse cristiano.

Amar a dos niveles

Amar es un mandato inequívoco para el cristiano, pero el amor debe practicarse en dos diferentes niveles: amor a Dios y amor al prójimo. Es importante comprender que estos dos amores no son iguales. Jesús explicó la diferencia al contestar la pregunta: "¿Cuál es el gran mandamiento de la ley?" Respondió: "Amarás al Señor tu Dios con todo tu corazón y con toda tu alma y con toda tu mente. Este es el grande y el primer mandamiento. Y el segundo es semejante a él: Amarás a tu prójimo como a ti mismo. De estos dos mandamientos dependen toda la Ley y los Profetas" (Mat. 22:37-40).

Toda nuestra obligación moral se resume en estos dos mandamientos entrelazados, bidireccionales. Verticalmente, hemos de amar a Dios con todo nuestro ser. Horizontalmente, hemos de amar a nuestro prójimo como nos amamos a nosotros mismos. Los Diez Mandamientos en Exodo 20 están organizados en las dos direcciones en que va el amor. No decimos nada nuevo al afirmar que los primeros cuatro mandamientos expresan los confines de nuestro amor vertical a Dios:

No tendrás otros dioses delante de mí.
No te harás imagen... No te inclinarás ante ellas.
No tomarás en vano el nombre de Jehovah tu Dios.
Acuérdate del día sábado para santificarlo.

De la misma manera, los seis mandamientos restantes expresan los confines de nuestro amor horizontal por nuestro prójimo.

Honra a tu padre y a tu madre.
No cometerás homicidio.
No robarás.
No darás falso testimonio contra tu prójimo.
No codiciarás.

Los Diez Mandamientos explican más detalladamente lo que los dos mandamientos de Jesús resumen. El amor a Dios implica obediencia a los primeros cuatro mandamientos. El amor al prójimo implica obediencia a los últimos seis mandamientos.

Notemos que el primero de los dos grandes mandamientos de Cristo tiene prioridad sobre el segundo. Hemos de amar a Dios con todo nuestro corazón, alma y mente, con todo lo que somos. Hemos de amar a los demás como nos amamos a nosotros mismos. ¿Capta usted la diferencia? No hemos de amar a nuestro prójimo como amamos a Dios. Eso sería una blasfemia. Ni hemos de amar a Dios como amamos a nuestro prójimo. Dios tiene que ser amado *supremamente*; nuestros prójimos tienen que ser amados *finitamente*. Dios es absoluto, supremo e infinito y, como tal, demanda un amor supremo. El ser humano es una criatura sólo finita hecho a la imagen del Dios infinito, así que nuestro amor por otras personas es limitado. Esto no quiere decir que nuestro amor no debe ser total o de alta calidad (vea Juan 13:34) sino que es limitado. En el cielo nuestra necesidad de salud, felicidad y progreso será totalmente suplida por la presencia de Cristo. No necesitaremos la protección o provisión que otros nos puedan dar, porque Cristo será todo lo que necesitamos. Pero todavía disfrutaremos del amor y la comunión mutuos.

Así que el imperativo de amar para el cristiano está claramente segmentado. Tenemos dos objetos del amor, y cada uno ha de ser amado de una manera distinta. Amar a Dios —querer lo mejor para él— significa reconocer su valor definitivo y supremo en todo lo que pensamos, decimos y hacemos. Es por esto que las Escrituras nos llaman a adorar a Dios. Pero nadie debe ser el objeto de nuestra adoración como lo es Dios. Eso es idolatría. Amar a las personas —querer lo mejor para ellas— significa reconocer su valor como personas creadas a la imagen de Dios y tratarlas según esta realidad. Los dos niveles del amor son singulares y diferentes.

¿Cómo nos hemos de relacionar entonces con el mundo que Dios creó para nuestro uso? Dios nos dio animales, plantas y minerales para sustentar la vida y para usar en nuestro servicio a él y a nuestro prójimo. Dios por su palabra creó el universo y lo declaró "bueno" (Gén. 1:31). El mundo de Dios es para admirarlo, disfrutarlo, valorarlo, protegerlo y utilizarlo para nuestro beneficio y para la gloria de él. Podemos amar a la naturaleza pero nunca de la misma manera como amamos a Dios o a nuestros prójimos. Si estimamos cualquier *cosa* —la casa, el coche, una obra de arte, una cuenta bancaria, un animal, una carrera, un jardín o cualquier otra cosa— más que a Dios o a nuestros prójimos, estamos usando mal la creación de Dios; estamos amándola de una manera que no está dentro de los designios de Dios. Dios tiene que ser amado supremamente, nuestros prójimos tienen que ser amados finitamente y la creación de Dios debe ser cuidada y protegida para servicio de Dios y de la humanidad. Esto es, en suma, la ética cristiana del amor.

Amores en conflicto

Pero ahora tenemos un problema. Como hemos visto, el amor a Dios y el amor al prójimo son diferentes. ¿Qué podemos hacer cuando estos dos niveles de amor están en conflicto? Cuando nuestro amor a Dios, a quien se nos da el mandamiento de amar, parece exigir que nos abstengamos de amar a una persona a quien se nos manda amar, ¿qué haremos? Y cuando nuestro amor por un familiar o amigo parece llevarnos a negarle nuestro amor a Dios, ¿qué debemos hacer?

Yo (Norm) me vi en este serio conflicto cuando era adolescente. Mis padres sentían mucho antagonismo hacia el cristianismo por la amarga hipocresía que les había tocado ver en una iglesia. Así que cuando les anuncié que había aceptado a

Cristo como mi Salvador, me vi ante la fuerte oposición de
ellos. Esperando dar un rápido punto final al fanatismo reli-
gioso que ella percibía en mí, mi madre amenazó matarme a
menos que renunciara a mi fe. Me vi cara a cara con una crisis: ¿Debía obedecer a mis padres y renunciar a Dios? ¿O
debía dar prioridad a Dios y desobedecer a mis padres? Con la
ayuda de Dios, opté por obedecerle a él. Como pueden ver, mi
mamá no cumplió con su amenaza. Pero fui objeto de las burlas y críticas de mis padres, hasta que, después de varios años
de amarlos y orar por ellos, tuve el gozo de verlos confiar en
Cristo como su Salvador. La Palabra de Dios dice la verdad:
"Buscad primeramente el reino de Dios y su justicia, y todas
estas cosas os serán añadidas" (Mat. 6:33).

Algunos han intentado evitar el conflicto afirmando que
todo el amor a Dios debe ser encauzado a través de las personas. Sostienen que cumplimos totalmente nuestra obligación
de amar a Dios cuando amamos a nuestros prójimos. Citan
dos pasajes bíblicos en defensa de esta posición. Primero,
Jesús dijo: "En cuanto lo hicisteis a uno de estos mis hermanos más pequeños, a mí me lo hicisteis" (Mat. 25:40). Segundo, Juan declaró que no podemos amar a Dios si no amamos a
los demás (1 Jn. 4:20). "No hay ningún conflicto", sostienen
estas personas, "porque la Biblia dice claramente que amar al
prójimo es amar a Dios."

Sea lo que fuere que implican estos dos versículos, no
enseñan que la única manera de amar a Dios es amarle a
través de seres humanos. Estos versículos dicen dos cosas.
Primero, no podemos amar verdaderamente a Dios a menos
que amemos a los demás. Segundo, *una manera* de amar a
Dios es amando a los demás. La Biblia no enseña en ninguna
parte que el amor a Dios puede expresarse *únicamente* por
medio del amor al prójimo.

¿Cómo amamos a Dios aparte de amar a nuestro prójimo?
C. S. Lewis sostiene que una gran porción de nuestro amor a
Dios es lo que él llama *amor por necesidad*. Como un infante
impotente se vuelve a su madre por su pura necesidad de consuelo y de sentirse seguro, amamos a Dios porque depen-
demos totalmente de él. Lewis escribe: "Todo nuestro ser, por
su naturaleza misma, es una vasta necesidad; incompleta,
preparatoria, vacía pero al mismo tiempo apiñada, clamando
a él quien puede desatar las cosas que ahora están atadas en

nudos y atar las cosas que todavía están sueltas." Nos volvemos a Dios porque somos impotentes sin su perdón, su apoyo, su sabiduría y su consuelo.

También podemos expresar el amor-regalo a Dios aparte de nuestro amor al prójimo. En un sentido no podemos dar nada a Dios que no sea ya suyo. En este sentido, Lewis sostiene: "Pero ya que es por cierto demasiado obvio que podemos negarnos a darnos nosotros mismos, a nuestra voluntad y corazón a Dios, podemos, en ese sentido, también darnos a él." Amamos a Dios cuando en espíritu de oración le ofrecemos nuestras habilidades y nuestro horario al comenzar el día. Amamos a Dios cada vez que cantamos sus alabanzas en el templo o en el santuario de nuestro propio corazón. Amamos a Dios cuando apagamos el televisor para leer la Biblia y orar. Amamos a Dios cuando aprovechamos los últimos momentos del día para agradecerle su protección y providencia durante el día. En estas expresiones muy personales y muchas veces privadas, proyectamos nuestro amor a Dios directamente en lugar de hacerlo a través de otros.

A veces nuestro amor a Dios, porque tiene supremacía, debe tomar precedencia sobre el amor al prójimo. Considere a Abraham, por ejemplo, a quien Dios dijo: "Toma a tu hijo, a tu único, a Isaac, a quien amas... ofrécelo en holocausto" (Gén. 22:2). Abraham amaba profundamente a Isaac. Este era el hijo que Dios le había dado milagrosamente en su ancianidad. Pero Abraham amaba a Dios supremamente y hubiera sacrificado su hijo si Dios, satisfecho con la demostración de obediencia por parte de Abraham, no hubiera intervenido a último momento.

Jesús dijo: "Si alguno viene en pos de mí y no aborrece a su padre, madre, mujer, hijos, hermanos, hermanas y aun su propia vida, no puede ser mi discípulo" (Luc. 14:26). No pensemos que aquí Jesús nos indica odiar a nuestra familia. Más bien usa una hipérbole para mostrar el contraste en los dos grandes amores. Nuestro amor por Dios debe ser tanto más que nuestro amor por cualquier ser humano —incluyendo los que nos son más queridos— que nuestro amor por nuestros prójimos parecerá odio comparado con nuestro amor por Dios. Hemos de amar a Dios con todo nuestro corazón, mente, alma y fuerza. Sería un insulto a Dios amarle como nos amamos a nosotros mismos que es como hemos de amar a los demás.

Jesús dijo: "Si alguno quiere venir en pos de mí, niéguese a sí mismo, tome su cruz y sígame" (Mat. 16:24). Dios debe ser amado más que nadie, incluyendo nuestros cónyuges, hijos, padres, amigos más queridos y nosotros mismos.

Los dos niveles del amor entonces no siempre están en armonía. Muchas veces existe tensión entre ellos. Por ejemplo, a los niños se les manda: "Hijos, obedeced en el Señor a vuestros padres, porque esto es justo" (Ef. 6:1). ¿Pero qué pasa cuando un padre le manda a un joven cristiano que renuncie a su fe, maldiga a Dios o que peque contra Dios en alguna otra forma? La respuesta es clara: el hijo tiene que desobedecer a su padre. La obediencia a los padres contiene la condición de que sea en el Señor, es decir, únicamente cuando las instrucciones de los padres no están en conflicto con los mandamientos de Dios. En dichas situaciones, el amor por el padre, a quien el hijo está desobedeciendo a fin de obedecer a Dios, al padre puede parecerle odio.

No obstante, el hijo debe estar seguro de que la cuestión que causa la desobediencia a un padre es una clara violación de los mandatos bíblicos. Por ejemplo, digamos que a Blanca, una jovencita cristiana, sus padres inconversos le prohíben ponerse de novia con Claudio, un muchacho de la iglesia de ella. La orden puede ser difícil de aceptar, pero no es una violación de los mandatos de Dios. En este caso, Blanca tiene que obedecer a sus padres. Hasta pueden prohibirle que vaya al templo. Esto también sería difícil de aceptar porque Hebreos 10:25 declara: "No dejemos de congregarnos... más bien, exhortémonos." Pero Blanca todavía puede encontrarse con creyentes en otros lugares: en la escuela, en actividades juveniles y en otros lugares para recibir y dar aliento sin realmente asistir a los cultos en el templo.

Pero si los padres de Blanca le mandan que diga a alguien que los llama por teléfono que no están en casa cuando en realidad sí están, falsificar información en documentos o participar con ellos en una sesión espiritista con algunos de sus amigos seguidores de la Nueva Era, Blanca tiene justificación bíblica para no obedecerles.

El mismo conflicto entre los dos niveles de amor puede ser encontrado en nuestra relación con las autoridades. El Nuevo Testamento urge a los creyentes que expresen amor por los líderes nacionales, estatales o provinciales y locales sometiéndose a su autoridad. Pedro escribe: "Estad sujetos a toda institución humana por causa del Señor" (1 Ped. 2:13). Pablo agrega: "Sométase toda persona a las autoridades superiores... el que se opone a la autoridad, se opone a lo constituido por Dios" (Rom. 13:1, 2). El sometimiento claramente implica obediencia como se puede notar en el uso similar de las palabras *someterse* y *obedecer* al tratarse de nuestra relación con las autoridades. Pablo escribió a Tito: "Recuérdales que se sujeten a los gobernantes y a las autoridades, que obedezcan, que estén dispuestos para toda nueva obra" (Tito 3:1).

No obstante, hay momentos cuando una lealtad y obediencia amante del cristiano a las autoridades choca con el amor y la lealtad a Dios. Los apóstoles se encontraron con que tenían que desobedecer a las autoridades judías y declarar: "Es necesario obedecer a Dios antes que a los hombres" (Hech. 5:29). Estaban siguiendo los pasos de los creyentes del Antiguo Testamento que, con aprobación divina, desobedecían al gobierno humano. Las parteras hebreas desobedecieron el mandato de faraón de matar a todos los recién nacidos varones en los partos que ellas realizaban (Exo. 1). Daniel desobedeció la prohibición de Darío de orar en privado (Dan. 6) y sus tres compañeros Sadrac, Mesac y Abed-nego se negaron a obedecer el mandato de Nabucodonosor de adorar una imagen de oro (Dan. 3). En cada caso, el amor a Dios estaba por encima del mandato de obedecer a las autoridades humanas.

Aunque alguna vez no coincidamos con nuestros dirigentes nacionales, quienes vivimos en países libres y democráticos podemos dar gracias que rara vez nos vemos obligados a elegir entre el amor a la patria y el amor a Dios. Los creyentes en países donde no hay libertad de culto y los valores judeocristianos son despreciados no son tan afortunados. No obstante, en nuestra obediencia amante, respetuosa a las autoridades civiles, podemos vernos frente a situaciones en que no podemos obedecer a Dios y al Estado. En esas situaciones tenemos que estar preparados para amar y obedecer a Dios *antes* que obedecer al gobierno.

Hay otras áreas de la vida en que el amor a Dios y el amor a otros pueden chocar. Una esposa cristiana puede sufrir el antagonismo de su esposo quien le dice: "No aguanto todo este cristianismo en que te has metido. Tienes que elegir: o escoges a Cristo o me escoges a mí." Un jefe astuto puede presionar a un empleado cristiano para que altere los números en los libros de la compañía, que mienta a los clientes o que no observe las normas de seguridad. La colaboradora a sueldo que tiene que confrontar al dirigente cristiano culpable de inmoralidad crónica probablemente pierda su trabajo cuando el ministerio de ese líder se desbande. Cuando los dos grandes amores chocan, el amor a Dios debe tener precedencia sobre el amor a los demás. Pero aun cuando tomemos la decisión correcta, puede haber consecuencias negativas. La Biblia y la historia cristiana abundan en relatos de individuos cuya obediencia por amor a Dios les costó caro. El autor de Hebreos reporta: "Otros recibieron pruebas de burlas y de azotes, además de cadenas y cárcel. Fueron apedreados, aserrados, puestos a prueba, muertos a espada. Anduvieron de un lado para otro cubiertos de pieles de ovejas y de cabras; pobres, angustiados, maltratados" (11:36, 37). Un sinnúmero de cristianos del primer siglo fueron dados como comida a los leones porque amaron a Dios más que al emperador romano.

Lo más probable es que no tenga usted que enfrentar una decisión de vida o muerte con respecto al amor. Pero su amor a Dios puede costarle su empleo cuando se niega a obedecer la orden de mentir que recibe de su jefe. Puede temporaria o permanentemente ser rechazado por un amigo, pariente o hijo o aun su cónyuge por haber elegido el amor más elevado. Dichas decisiones no son fáciles ni agradables. En estas decisiones difíciles y sus dolorosas consecuencias, hemos de aferrarnos a la promesa de Dios de que "Dios hace que todas las cosas ayuden para bien a los que le aman, esto es, a los que son llamados conforme a su propósito" (Rom. 8:28).

El amor es absoluto, pero no es siempre fácil. Bajo circunstancias normales no hay realmente ningún conflicto entre amar a Dios y amar a los demás. Pero el pecado muchas veces causa enredos. Algunas personas a quienes debemos someternos abusan del cargo que Dios les dio y precipitan el conflicto en otros al creerse dioses. En cualquier momento cuando un padre, una autoridad política, un empleador o cónyuge asume un poder soberano y demanda una lealtad suprema, el resultado es una tensión entre los dos niveles de amor. En estas opciones forzadas, el cristiano tiene que elegir. Y como Dios vale más que cualquier persona, nuestro amor por él debe tener precedencia sobre cualquiera que discute su autoridad suprema.

Rendirse a una autoridad más alta

Cuando debemos elegir entre un Dios que ama y amar a otros, no debemos tomarlo como que tenemos que quebrantar un mandamiento a fin de obedecer otro. Por ejemplo, cuando Blanca le dice a sus padres que no va a mentir como le ordenaron, en realidad no está quebrantando el quinto mandamiento. Más bien está *suspendiendo* y *trascendiendo* la ley menor en obediencia a la ley mayor. Blanca no está diciendo con su acción que "honra a tu padre y a tu madre" no se aplica a ella. Está tomando una exención a la ley en vista de su responsabilidad de amar a un nivel más alto.

Es como cuando un avión a chorro despega, con el consecuente conflicto entre las leyes de aerodinámica y gravedad. Al levantar vuelo, el avión no quebranta la ley de gravedad, meramente la vence por un tiempo. La ley de gravedad todavía se aplica y entrará en juego cuando el avión empiece a aminorar la velocidad. Y Blanca tiene el compromiso de amar y obedecer a sus padres en todas las áreas en que los requerimientos de ellos no choquen con los mandatos de Dios.

Dios ha categorizado sus leyes morales de manera que algunas son más altas que otras. Jesús habló de "lo más importante de la ley" (Mat. 23:23). Pablo identificó la virtud "mayor" (1 Cor. 13:13). Y Jesús habló del "gran mandamiento" (Mat. 22:36). En efecto, existe una pirámide de valores: Dios es la cúspide, luego están las personas y, abajo de todo, las cosas materiales. Debemos amar a Dios más que a nuestros prójimos y a nuestros prójimos más que a las cosas materiales. Y cuando cualquiera de estos dos niveles chocan inevitablemente, siempre debemos decidirnos a favor del más alto en lugar del más bajo. Dios ha incorporado estas categorías en su ley moral para ayudarnos a saber qué lado tomar en la hora del conflicto.

Amar a Dios *más* que a las personas no significa necesariamente que amamos a Dios *en lugar* de amar a las personas. Es verdad que el amor a Dios puede requerir una desobediencia hacia una autoridad intermedia, y que esta acción por contraste puede parecer odio. Sin embargo, tomar dicha posición puede ser la mejor manera de expresar nuestro amor por aquellos cuyas directivas chocan con Dios. Amar significa darle al pecador, no darse a sus deseos pecaminosos. Amar significa tener disposición por lograr lo mejor para alguien, no es tener disposición de seguirle la corriente a sus planes impíos. A veces la mejor manera de contribuir al bien de una persona es resistir la maldad de ella. La resignación pasiva a la maldad no es una expresión auténtica del amor por alguien. Por lo tanto, al amar a Dios más que a los demás en realidad estamos amando más a los demás.

Si usted es padre o madre sabe que es imposible darle a sus hijos todo lo que piden. Ellos pueden querer comer pastel con cada comida, pueden insistir en jugar con un cuchillo filoso o pueden negarse a usar el cinturón de seguridad en el auto. El amor de usted no decrece para nada debido al hecho de que les niega esos pedidos y exige —a la fuerza si es necesario— que hagan lo que usted les manda. Usted sabe que quiere lo mejor para ellos, sea que lo entiendan y acepten o no.

Así que los dos niveles del amor a veces pueden chocar, pero nunca se contradicen. La ley menor debe subordinarse a la ley mayor pero nunca desconectarse completamente de ella. La expresión más elevada del amor por nuestros semejantes es desearles lo que Dios les ordena hacer por medio de sus mandatos. Y el mandato de Dios es el mismo para ellos que para usted: que tomen su lugar bajo el mando amante, soberano de Dios en lugar de usurpar el lugar que a Dios le corresponde en la vida de ellos.

Cuando consideramos el mandato de amar a nuestro prójimo, aparece un nuevo criterio. No tenemos que amarle como amamos a Dios. La medida para este amor es igual como el amor que usted da a la persona que usted refleja en el espejo.

Preguntas difíciles y respuestas sin rodeos sobre el imperativo de amar

¿Es posible amar a otros y a la vez defender los propios derechos de uno?

Si de alguna manera es usted víctima de una injusticia, la acción más amante que puede realizar por la persona que fue injusta es defender lo correcto. Amar no quiere decir ceder para que todo el mundo nos pisotee. Uno de los portentos más grandes del amor es confrontar lo incorrecto y corregirlo.

Por ejemplo, llega usted a su casa y se encuentra con que han entrado ladrones que han robado y que han cometido actos de vandalismo. Después de un tiempo apresan a los ladrones pero no recupera lo robado. Algunos hermanos bien intencionados le aconsejan: "Perdónelos y no les haga juicio. Tiene que mostrarles amor." ¿No hacerles juicio sería lo mejor para los criminales? ¿No sería mejor que fueran a la cárcel para que les pesara lo que hicieron y vieran las consecuencias de sus acciones? Si quiere expresar amor hacia ellos puede perdonarlos por haber violado su hogar *y a la vez* hacerles juicio. Puede acercarse a ellos, visitarles en la cárcel y contarles de Cristo a la vez que colabora con los esfuerzos por lograr que hagan restitución por lo robado.

Durante años yo (Josh) pensaba que estaba mostrando amor al rescatar de la ruina financiera a algunos amigos queridos dedicados al ministerio. Resulta que ellos se lanzaban por fe a realizar un proyecto, y luego fracasaban por no saber manejar los fondos de los cuales disponían. En su aprieto me pedían que pagara la fianza. Conmovido por su situación, les mandaba dinero para evitar un perjuicio al ministerio. Pero a los pocos meses otra vez se encontraban en problemas y yo volvía a ayudarles. El círculo vicioso continuó durante varios años.

Por fin me di cuenta de que no les estaba haciendo ningún favor a mis amigos salvándolos de sus problemas económicos. Más bien, el que yo "los sacara del agua" les impedía aprender las duras pero necesarias lecciones de cómo ser financieramente responsables. Lo que en realidad estaba haciendo era lo contrario al amor al impedirles aprender estas lecciones. Así que hice una de las cosas más difíciles de mi vida: Dejé de "sacarlos del agua". Todavía amo mucho a estos amigos y oro por ellos constantemente. Pero no sólo estoy demostrando amor sino que estoy haciendo lo bueno y correcto.

8

Ame a la persona reflejada en el espejo

Jesús nos ha dado dos grandes mandamientos sobre el amor que resumen nuestra principal responsabilidad hacia nuestro Creador y los demás: Amar a Dios, amar a las personas. Amar a Dios es la ley mayor, amar a las personas es la ley menor. Las dos leyes por lo general armonizan, pero cuando las dos leyes chocan, el amor a Dios tiene que tener precedencia sobre el amor a las personas.

Cada ley fue dada con un calificador para ayudarnos a saber *cómo* amar a cada nivel. Jesús nos ordenó amar a Dios "con todo tu corazón y con toda tu alma y con toda tu mente" (Mat. 22:37). El amor a Dios, la ley mayor, debe saturar nuestros pensamientos, motivaciones, decisiones, palabras, acciones y reacciones. En cuanto al amor a los demás, Jesús nos dio una estrategia para medirlo: "Amarás a tu prójimo como a ti mismo" (v. 39). Las palabras de Pablo en Efesios 5:28 son un paralelo del mandato de Jesús: "Los esposos deben amar a sus esposas como a sus propios cuerpos." Nuestro amor por los demás, el segundo gran mandamiento de Jesús, tiene que ser como el amor que nos tenemos a nosotros mismos.

"¡Un momento!" puede argumentar alguno. "Eso no es bíblico. No tenemos que amarnos a nosotros mismos. La Biblia nos ordena negarnos a nosotros mismos y tomar nuestra cruz.

Jesús dijo que si amo mi vida, la perderé. Bien, decimos: Jesús primero, nuestro prójimo segundo y nosotros después. El amor por nosotros mismos es lo mismo que el orgullo y la vanidad, cosas que tenemos que evitar."

Al contrario, el debido amor por nosotros mismos es correcto por al menos tres razones que encontramos en la Biblia.

Primero, es correcto amarnos a nosotros mismos porque somos hechos a la imagen de Dios (Gén. 1:26). Por esa misma razón tenemos que amar a los demás, especialmente a ciertos individuos en quienes no podemos encontrar otra razón para amar. El feto que todavía no ha nacido, la persona con graves incapacidades mentales, el homicida impenitente, el paciente muriéndose de SIDA pueden contribuir poco o nada al bien de la sociedad. Pero les amamos porque son creación de Dios. Tenemos que amarnos a nosotros mismos por la misma razón aun en esos momentos cuando no nos sentimos dignos de ser amados.

Segundo, es correcto amarnos a nosotros mismos porque es la base para amar al prójimo. Si Jesús hubiera dicho: "Amarás a tu prójimo *en lugar* de amarte a ti mismo", podríamos llegar a la conclusión de que cualquier medida de amor que nos tengamos es mala. Pero él nos mandó que amáramos a los demás *como* nos amamos a nosotros mismos. Amarnos a nosotros mismos no es un mandato, es algo que da por hecho, dando a entender que es demasiado básico para ser incluido en una orden separada. Es como si Jesús dijera: "Ya te amas a ti mismo, y hacerlo correctamente es bueno. Ahora ama a los demás de la misma forma."

Tercero, es correcto amarnos a nosotros mismos porque Dios nos ama (1 Jn. 4:10). Si no nos amamos a nosotros mismos, entonces no amamos lo que Dios ama, y nunca conviene oponernos a Dios.

La obligación terrenal más básica del cristiano es quererse uno mismo. Pablo daba por hecho el amor por uno mismo: "Nadie aborreció jamás a su propio cuerpo; más bien, lo sustenta y lo cuida, tal como Cristo a la iglesia" (Ef. 5:29). Aquí están otra vez esas palabras: *sustenta* y *cuida*, significando nutrir y amar, proveerle lo que necesita y protegerlo. Es normal y necesario que los creyentes se nutran a sí mismos hasta lograr la madurez mental, física, espiritual y social y que se protejan a sí mismos de elementos perjudiciales. Esta conducta que muestra el amor que nos tenemos a nosotros mismos es el ejemplo de lo que debe ser nuestro amor al prójimo.

Es difícil —si no imposible— amar a los demás sin amarnos a nosotros mismos. Piense un momento en esto en un sentido puramente humano. Un guardia de seguridad en un centro comercial que está demasiado gordo y fuera de forma recibe un llamado en su radio avisando que en la otra punta del centro comercial están asaltando a una joven. El guardia empieza a correr lo más rápido que puede para ayudarla, pero su cuerpo no está acostumbrado a semejante esfuerzo. A mitad de camino, el guardia se desploma y cae muerto de un ataque al corazón. La joven que hubiera podido salvar muere de los golpes recibidos. El descuido de este hombre respecto a su propio cuerpo causó su propia muerte y la de la joven. Si se hubiera cuidado mejor, probablemente hubiera podido salvarla.

De la misma manera, amarse uno mismo significa aprender a nadar para salvarse uno mismo y salvar a otros; el que no sabe nadar no puede ayudar a nadie en el agua. Amarse uno mismo significa —como las azafatas explican antes de cada vuelo— que en caso de emergencia uno debe ponerse su propia máscara de oxígeno antes de ayudar a su hijo a ponerse la suya. Si uno no se pone primero su propia máscara, puede desmayarse, privando a su hijo de su ayuda. Amarse uno mismo significa comer y hacer ejercicio adecuadamente a fin de prolongar su vida para bien de sus hijos, nietos y bisnietos. Amarse uno mismo significa trabajar diligentemente para proveer su propio mantenimiento y para cuidar a su familia y dar a la obra de Dios. Amarse uno mismo significa invertir tiempo y esfuerzo en su propio desarrollo espiritual, a fin de estar preparado para ministrar a otros. En todos los aspectos de amar y servir a los demás, no podemos dar lo que no tenemos. Unicamente si nos amamos y cuidamos a nosotros mismos estamos capacitados para amar y cuidar a nuestro prójimo como nos mandó Cristo.

Amarnos a nosotros mismos significa protegernos mental, física, espiritual y socialmente de elementos perjudiciales. Las medidas de seguridad comunes, como abrocharnos el cinturón de seguridad en el auto, ponerle de noche llave a las puertas, mantener limpios los alimentos y utensilios, evitar el uso de drogas, son expresiones de cuidado y respeto por nuestro cuerpo. Protegemos amorosamente nuestras mentes cuando nos cuidamos de no leer revistas y libros pornográficos, mirar programas de televisión, vídeos, películas y de escuchar música malsanos. Espiritualmente, nos cuidamos llenando nuestros corazones con la Palabra de Dios, sabiendo que somos responsables por el desarrollo espiritual de otros y resistiendo los intentos de Satanás de desviarnos y de que no sirvamos a Cristo. La cautela y sabiduría en las áreas de autoprotección son una expresión de amor sano por uno mismo.

Amese correctamente

Como las objeciones recién mencionadas lo ilustran, el cristiano a veces deja a un lado el amor por sí mismo debido al énfasis sobre negarnos a nosotros mismos que encontramos en las Escrituras y las advertencias sobre el egoísmo. Jesús dijo: "Si alguno viene en pos de mí y no aborrece... aun su propia vida, no puede ser mi discípulo" (Luc. 14:26). Pablo advirtió a Timoteo contra quienes son "amantes de sí mismos..., del dinero... vanagloriosos, soberbios" (2 Tim. 3:2, 3). Pablo confesó en cuanto a su propia perversión: "Yo sé que en mí... no mora el bien" (Rom. 7:18). Considerando éstas y otras referencias a negarse a sí mismo, puede ser difícil para algunos comprender que el amor por uno mismo es parte de la ética cristiana del amor.

En realidad, las instrucciones bíblicas se oponen, no a que nos amemos a nosotros mismos, sino a que nos amemos *demasiado* o que *no* nos amemos *lo suficiente*. Hemos de negar el egoísmo o el sentido de poca valía que ocasionalmente nos ataca. Pero no hemos de negar el yo del cual provienen. Es nuestro pecado lo que debemos negar y odiar, no al santo que a veces es atormentado por él.

Pablo, en sus instrucciones sobre los dones espirituales en 1 Corintios 12, enfatizó lo incorrecto de amarnos demasiado o no lo suficiente. El apóstol nos informa que todos han sido dotados por el Espíritu para un ministerio (v. 7) y que Dios nos ha habilitado de la manera que él quiere que lo estemos (v. 18). Compara al cuerpo de Cristo con el cuerpo humano y a cada parte del cuerpo: ojo, oído, mano, pie, etc. La lección clara del pasaje es que cada uno de nosotros debe aceptar las habilidades espirituales que Dios le ha dado y ejercitarlas para el bien del cuerpo. Ese es el amor correcto por uno mismo que produce un amor eficaz hacia otros.

Luego Pablo ilustra la actitud incorrecta de no amarnos lo suficiente: "Si el pie dijera: 'Porque no soy mano, no soy parte del cuerpo', ¿por eso no sería parte del cuerpo? Y si la oreja dijera: 'Porque no soy ojo, no soy parte del cuerpo' ¿por eso no sería parte del cuerpo?" (vv. 15, 16). Las personas que son así no se aman lo suficiente. Lloriquean: "No sirvo para eso. No me gusta que me noten. No soy importante." Les es difícil obedecer el mandato de Cristo de amar al prójimo porque su complejo de inferioridad o falso sentido de renunciamiento les impide amarse a sí mismos.

Por ejemplo, es probable que usted no se ame bien si:

* Su cónyuge muestra su aprecio por algo que usted hizo, y usted le hace notar las fallas que hay en ello.
* Un empleado en la tienda le da menos de lo que le corresponde del cambio pero usted no dice nada porque no quiere crear problemas.
* Está tan ocupado en cuidar su familia y amigos que no tiene tiempo para su propio descanso y recreación.
* No da su opinión sobre algún asunto importante porque cree que su opinión no vale.
* Está haciendo demasiado en su iglesia y está agotado en su trabajo porque se siente culpable si rehúsa hacer algo que le piden.

Esta actitud de autodesprecio es lo opuesto a otra actitud igualmente errada: La de los que se aman demasiado. Sobrestiman su importancia ante Dios y los demás. Su orgullo y egocentrismo los perjudican en sus esfuerzos por cumplir el mandato de Cristo de amar al prójimo. Pablo escribió acerca de estas personas: "El ojo no puede decir a la mano: 'No tengo necesidad de ti'; ni tampoco la cabeza a los pies: 'No tengo necesidad de vosotros.'" (v. 21)

Por ejemplo, probablemente usted se ama demasiado si:

* No puede usted dejar de mirar la televisión para ayudar a un vecino preocupado por buscar el perro que se le escapó.
* Las cosas que quiere usted hacer le impiden constantemente hacer lo que debiera hacer.

* El éxito en su trabajo o el placer de sus pasatiempos es más importante para usted que sus obligaciones de esposo/a o padre/madre.
* Domina las conversaciones porque está convencido que nadie está tan bien informado sobre el tema como usted.
* No cumple sus obligaciones en su hogar, trabajo o en la iglesia cuando se aburre o se le presenta algo más ventajoso para usted.

Imagínese que usted es un balón de baloncesto. La razón de su existencia es representar al deporte que lleva su nombre y agradar a quienes fue usted creado para servir. Pero si está demasiado inflado, rebotará demasiado alto y saldrá despedido locamente al pegar en el tablero. Si no está inflado lo suficiente, no rebotará. De cualquiera de las dos maneras, el juego sufre y el placer que podrían sentir los participantes es mucho menor. La presión justa es todo para lograr el éxito. Si tuviera usted la capacidad, haría todo lo posible para mantenerse correctamente inflado: no con demasiado aire, ni con menos de lo suficiente.

De la misma manera, si no nos valoramos lo suficiente o si nos valoramos demasiado, tenemos menos capacidad de amar a otros como Cristo nos mandó amar. No amarse debidamente y no proveerse de lo que usted necesita lo deja con muy pocas reservas para amar y darse a su prójimo. Se agotará rápida y frecuentemente. También se agotará su amor por los demás si se gasta la mayor parte de su energía de amor en usted mismo. Es un amor sano, equilibrado y una atención respetuosa a nutrirnos para ser más maduros y de protegernos a nosotros mismos de influencias nocivas lo que mejor nos habilita para amar a nuestros prójimos como a nosotros mismos.

Amarse a uno mismo no es lo malo; lo malo es la manera como algunos se aman. Amarnos a nosotros mismos simplemente por amarnos puede ser pecaminoso. Pero amarnos con el fin de amar a otros es definitivamente bueno. El piloto que descansa bien y no toma bebidas alcohólicas se ama (cuida) por el bien de sus pasajeros. La futura madre que come adecuadamente y no bebe alcohol ni otras drogas ama su cuerpo por el bien de su bebé. El guía del estudio bíblico que estudia y ora a conciencia por su propio crecimiento espiritual se ama por el bien de su grupo de estudio. El cristiano que memoriza versículos bíblicos evangelísticos se ama a sí mismo para beneficio de aquellos a quienes eventualmente llevará a los pies de Cristo. Proveernos a nosotros mismos de lo que necesitamos como creación amada de Dios que somos, es bueno; amarnos egoístamente como si la creación de Dios girara alrededor nuestro es la más elemental de las maldades (Rom. 1:25). El equilibrio cristiano consiste en estimarse debida y correctamente (Rom. 12:3).

Preguntas difíciles y respuestas sin rodeos sobre el amor por uno mismo

1. *Jesús dijo: "Nadie tiene mayor amor que éste, que uno ponga su vida por sus amigos" (Juan 15:13). ¿Cómo podemos amarnos a nosotros mismos y todavía sacrificarnos por otros como sugiere este versículo?*

El amor por uno mismo y el sacrificarse no son conceptos contradictorios. La realidad es que únicamente cuando nos amamos a nosotros mismos podemos darnos a otros en amor. Sin un amor correcto por el yo, no contamos con la reserva necesaria de amor para sacrificarnos por otros. Es verdad que quienes se aman demasiado a sí mismos tendrán reparos en arriesgar su bienestar personal y, menos aún, su vida por el bien ajeno. Y el sacrificio de los que se aman a sí mismos demasiado poco es muy probablemente motivado por su sentido de culpa en lugar de su amor. Sólo los que están en paz consigo mismos como resultado de amarse correctamente pueden ser libres para ver las necesidades de sus semejantes y hacer sacrificios para servirles. La madre que arriesga su vida donando un riñón a su hijo en peligro de morir de una infección en los riñones no odia su propia vida. Se ama tanto a sí misma que quiere compartir su propia vida con su hijo.

2. *¿Cómo puede un cristiano librarse de un complejo de inferioridad que le impide amarse sanamente?*

El camino más directo a un concepto sano y a un correcto amor por sí mismo es verse a través de los ojos de Dios quien le ama. Si usted es cristiano, no tiene por qué sentirse inferior. Satúrese de la verdad bíblica sobre su identidad en Cristo. Por ejemplo:

* Dios le ama y dio a su Hijo por usted (1 Jn. 4:10).
* Usted es un hijo de Dios (Juan 1:12; Rom. 8:14, 15).
* Dios le llama amigo (Juan 15:15).
* Usted es una nueva criatura en Cristo (2 Cor. 5:17).
* El Espíritu de Dios vive en usted (1 Cor. 3:16, 6:19).
* Dios lo ha hecho a usted justo y recto en Cristo (Ef. 4:24).
* Usted está en la luz, no en la oscuridad (1 Tes. 5:5).
* Usted es una creación de Dios (Ef. 2:10).

Cuanto más medite sobre la verdad de quién usted es en Cristo, más podrá amarse a sí mismo como le ama Dios.

3. ¿Cómo puedo amarme si sigo pecando?

El cristiano que tiene un amor sano por sí mismo sabe que no es perfecto. Pero no se da por vencido diciendo: "¿Por qué esforzarme? Nunca voy a valer nada espiritualmente." Entiende que es llamado a no pecar, pero que cuando lo hace, Cristo es su abogado defensor delante del Padre para encauzar su arrepentimiento, conseguir el perdón y ayudarle a seguir adelante (1 Jn. 2:1). Sigue trabajando para desarrollar su fe y corregir cualquier costumbre que lo lleva a pecar. Como cristianos, no siempre somos lo que deberíamos ser, pero por la gracia de Dios tampoco somos lo que éramos en el pasado.

Cuando peca, no ceda usted a la tentación de quedarse con el pecado ni pierda su fe en sí mismo. Confiese su pecado, reciba el perdón de Dios y siga creciendo. La perfección es nuestra meta suprema, pero no la alcanzaremos hasta estar en el cielo. No se condene a sí mismo cada vez que nota que todavía no es perfecto. Nuestra meta intermedia es llegar a la madurez, y cada día podemos ir acercándonos más a ella de una manera u otra.

9

El amor al prójimo lejano y cercano

Jesús fue claro en expresar que el mandamiento de amar a nuestro prójimo no se limita a nuestro cuidado por los que viven a nuestro alrededor. La palabra puede estar en singular pero la intención moral es plural. Dios quiere que amemos a todos nuestros prójimos porque él ama a todos nuestros prójimos. Cuando le preguntaron a Jesús: "¿Y quién es mi prójimo?", contó la parábola del Buen Samaritano, quien demostró su amor hacia un extraño que necesitaba ayuda (Luc. 10:29-37). El relato ilustra claramente que el prójimo no se limita a gente dentro de ciertas categorías, que son de ciertos países o de ciertas clases sociales. El prójimo es aquel que necesita ayuda, sea quien sea y dondequiera que esté. Y el que ama al prójimo es el que ayuda al que sufre una necesidad. Nuestros prójimos son, en un sentido, todas las personas en todas partes porque todos necesitan ser amados.

El mandato de Jesús en el sentido de que el creyente debe amar a todos no era nuevo. Los judíos del Antiguo Testamento sabían del amor de Dios por todas las personas y su voluntad de que ellas amaran como él ama. Dios escogió a Abraham para ser el padre de la familia hebrea a fin de que por medio de él y sus descendientes sean "benditas todas las familias de la tierra" (Gén. 12:3). Moisés, no Jesús, fue el primero en escuchar e incorporar en la ley las palabras "amarás a tu prójimo como a ti mismo" (Lev. 19:18). Dios mandó al pueblo de Israel que demostrara su interés amante no sólo por los de su propia clase sino también por los pobres y extranjeros (Lev. 19:9, 10) y que procuraran la paz con sus enemigos toda vez que fuera posible (Deut. 20:10-12). Jonás descubrió que Dios amaba aun a los malvados asirios (Jon. 4:2). La invitación de Dios satura el Antiguo Testamento: "Ama a las gentes —todas las gentes— como yo las amo."

En el Nuevo Testamento, Dios ofrece su amor a todas las personas. Cristo murió por el mundo entero (Juan 3:16), y nosotros tenemos que anunciar las buenas nuevas de salvación "a todas las naciones" (Mat. 28:19). A los cristianos se nos manda: "Mientras tengamos oportunidad, hagamos el bien a todos" (Gál. 6:10). Nuestro amor no debe limitarse a las personas que son como nosotros o que nos caen bien. Cristo ordenó: "Amad a vuestros enemigos y haced bien a los que os aborrecen; bendecid a los que os maldicen y orad por los que os maltratan" (Luc. 6:27, 28). En su mandamiento de amar no nos deja escapatoria. El amor incluye a todos. Todo el mundo debe ser amado en nombre de Cristo. Todo el mundo es nuestro prójimo en el sentido amplio de la palabra.

Amar a todos sin excepción

En un sentido más particular, nuestro prójimo es la persona que tenemos cerca, aquel a nuestro alrededor que necesita amor. Esto es extremadamente importante a la ética cristiana del amor porque no podemos amar literalmente a todo el mundo. No nos alcanza el tiempo, la energía ni los recursos para querer a todos en todas partes. Si lo intentáramos, nuestro amor se diluiría tanto al tratar de abarcar a tantos que no significaría nada para nadie. Por eso es que la Biblia nos da lo que podríamos llamar el principio del amor centralizado. Hemos de guardar el mandamiento de amar a todos empezando con los que tenemos más cerca y extendernos hacia afuera hasta abarcar a todo el mundo según "tengamos oportunidad" (Gál. 6:10).

El círculo central de la responsabilidad de amar que tiene el cristiano, como ya lo hemos expuesto, es uno mismo. Si no nos cuidamos de proveer lo necesario para cubrir nuestras necesidades básicas y no nos protegemos de influencias nocivas, no podremos amar eficazmente a nuestros semejantes. En cuanto al cuidado de nosotros mismos, Pablo escribió: "Tened por aspiración vivir en tranquilidad, ocuparos en vuestros propios asuntos y trabajad con vuestras propias manos, como os he mandado; a fin de que os conduzcáis honestamente para con los de afuera y que no tengáis necesidad de nada" (1 Tes. 4:11, 12); "cada cual llevará su propia carga" (Gál. 6:5). O sea que cada uno de nosotros tiene que proveerse de lo que necesita para mantenerse a fin de no ser una carga para otros y para tener algo que compartir con quienes sufren necesidad. Además, somos responsables de nuestro propio alimento y desarrollo espiritual. Tenemos que amarnos a nosotros mismos lo suficiente como para tener un horario y programar el tiempo que dedicaremos a escudriñar las Escrituras, orar y tener compañerismo cristiano. Cada persona es responsable de su crecimiento mental, emocional y social. Si no mantenemos este círculo central de amor por nosotros mismos, mal podremos extendernos a los otros círculos fuera del nuestro constituidos por personas a quienes Dios nos ha llamado a amar.

Enseguida de amarnos a nosotros mismos correctamente, nuestra responsabilidad más inmediata de amar es amar a nuestra propia familia. La respuesta categórica a la famosa pregunta de Caín: "¿Soy yo acaso el guarda de mi hermano?" (Gén. 4:9). Un rotundo "sí". Pablo escribió claramente sobre esto: "Si alguien no tiene cuidado de los suyos, y especialmente de los de su casa, ha negado la fe y es peor que un incrédulo" (1 Tim. 5:8). Jesús condenó severamente a los líderes religiosos que le negaban un cuidado cariñoso básico a sus padres (Mar. 7:10-13). El hombre y la mujer que se casan son "una carne" (Gén. 2:24). Los hijos que producen son una extensión de esa unión por lo que el amor familiar es una prolongación muy natural y necesaria del amor por uno mismo.

Aunque cada individuo es responsable de su propio cuidado, nadie es una isla autosuficiente de total independencia (Rom. 14:7). Todos necesitan alguna vez la asistencia, el aliento, la oración, el consuelo y el consejo de otros. Estamos obligados, por el mandato de Dios, a suplir las necesidades de nuestros familiares. Proveer lo que es para el bienestar y proteger a nuestro cónyuge, hijos, padres y hermanos es nuestra primera prioridad en respuesta al segundo gran mandamiento de amar a otros. El cuidado cariñoso de otros parientes, como ser abuelos, tíos y primos es la prioridad que le sigue de cerca aunque es menor (1 Tim. 5:16).

Si las vacaciones en familia, las salidas con sólo su cónyuge o el partido de fútbol en que juega su hijo son los últimos compromisos que anota en su calendario —o los primeros que borra— porque está demasiado ocupado, quizá necesite volver a pensar en las prioridades de Dios en cuanto a amar al prójimo. Si las obligaciones de su trabajo lo cansan tanto que no puede tener una buena conversación y oración con su cónyuge, entonces está trabajando demasiado. Si está tan ocupado con las actividades de la iglesia que no puede ayudar a su hijo con las tareas de la escuela o ayudar a su padre anciano arreglándole algo que se rompió en su casa, está demasiado ocupado con su iglesia. Nuestro primer compromiso de amor debe ser con los que más cerca de nosotros nos necesitan, o sea los de nuestra propia familia.

El próximo círculo concéntrico es el de nuestros hermanos en la fe que sufren alguna necesidad. Pablo instó: "Por lo tanto, mientras tengamos oportunidad, hagamos el bien a todos, y *en especial a los de la familia de la fe*" (Gál. 6:10, énfasis agregado). Los cristianos debemos amar a todos, pero tenemos la responsabilidad prioritaria hacia los que comparten nuestra fe.

Juan agregó: "Pero el que tiene bienes de este mundo y ve que su hermano padece necesidad y le cierra su corazón, ¿cómo morará el amor de Dios en él?" (1 Jn. 3:17). Proteger y proveer a nuestros hermanos en la fe lo que ellos necesitan es una prioridad en la expresión de nuestro amor.

Fuera del círculo familiar, nuestra primera preocupación debe ser la compañía de creyentes con quienes adoramos, aprendemos, servimos y nos congregamos. A este nivel podemos enfocar nuestro pequeño grupo (un grupo de estudio bíblico en casa de familia o en un centro estudiantil, un grupo dedicado al cuidado mutuo, un grupo de apoyo), nuestra clase de escuela dominical, nuestros pastores y congregación, nuestros amigos íntimos cristianos, nuestro equipo de ministerio en la iglesia y otros cristianos con quienes nos relacionamos regularmente. Otro nivel podría incluir creyentes que no conocemos bien: líderes denominacionales, miembros de congregaciones hermanas, misioneros y organizaciones de servicio cristiano. Al final de esta categoría están los cristianos que no conocemos y que quizá nunca conoceremos personalmente: creyentes de otras denominaciones, ciudades y países.

Amarnos unos a otros como Cristo nos lo ordenó es la esencia de nuestra relación con otros cristianos. Pero a veces enfatizamos demasiado nuestro amor dentro del cuerpo de Cristo. Como cualquier grupo de personas que son afines en razón de sus creencias, su historia o actividad, a los cristianos les resulta relativamente fácil amarse los unos a los otros. La verdadera prueba es amar a los que son diferentes de nosotros: gente mundana, gente sin atractivo, gente odiosa. Parece que dedicamos demasiado tiempo hablando de cómo protegernos los unos a los otros y proveer lo que es de mutua ayuda, dedicando poco tiempo a instruirnos y exhortarnos a amar al mundo.

Además de esto, a veces estamos tan ocupados enseñando y teniendo comunión los unos con los otros que no dejamos mucho tiempo para relacionarnos con nuestros vecinos y compañeros de trabajo inconversos. Como alguien observara incisivamente: "Tenemos nuestros pensamientos enfocados tanto en el cielo que no servimos para nada en la tierra." Dos o tres cultos de adoración, una o dos reuniones de comisión, ensayo del coro, una reunión de maestros, una reunión fraternal de hombres o mujeres, un día de trabajo en el templo pueden llenar la semana. Todas estas actividades son buenas, pero si nos impiden acercarnos a nuestros vecinos y compañeros de trabajo inconversos, el amor cristiano por nuestros hermanos en la fe se pasó de la medida.

Aparte de los círculos familiares y de los hermanos en la fe está "todo el mundo" que debemos amar como a nosotros mismos. Esta amplia categoría incluye desde nuestros vecinos a nuestro alrededor, nuestros compañeros de escuela y de trabajo hasta las tribus más remotas de las cuales ni siquiera hemos oído hablar. Quienquiera que sean y dondequiera que estén, tenemos que amarles.

Como una piedrecilla arrojada al agua, el principal círculo de amor es aquello que está dentro de su responsabilidad directa, los que están más cerca: la familia y los hermanos en la fe. Pero las ondas tienen que seguir extendiéndose hacia fuera. Como escribiera Pablo: "Si es posible, en cuanto dependa de vosotros, tened paz con todos los hombres" (Rom. 12:18). La paz es una virtud similar al amor. Dondequiera que vayamos en el mundo fuera de los círculos interiores de la familia y la fe, nuestro amor por otros creará paz.

Este concepto del amor centralizado tiene una importante implicación: Cuando surge un conflicto en cuanto a quién debe ser amado y cuánto, los que están más cerca del centro de nuestra responsabilidad de amar tienen prioridad sobre los que están más afuera. Veamos varios ejemplos: Una madre no debe dar lo único que tiene para comer a los hijos hambrientos de su vecino si sus propios hijos no han comido. Ni está un padre obligado a comprar ropa para los necesitados en el campo misionero si a su propia familia le falta ropa. Uno rescata a sus propios familiares y amigos de un edificio en llamas antes de ayudar a los demás.

A un nivel más práctico y cotidiano, el hombre cristiano tiene que asegurarse de estar dedicando suficiente tiempo a su esposa e hijos antes de aceptar obligaciones en la iglesia que demandan tiempo. Y los hombres en su grupo de estudio bíblico deben tener prioridad sobre los amigos en la cancha de fútbol. La mujer soltera que trabaja y tiene recursos limitados tiene que considerar las necesidades de sus padres desempleados antes que las de la campaña pro templo y la colecta local de la "Sociedad de lucha contra el cáncer". El pastor se dedica primeramente al desarrollo de sus ovejas en lugar de evangelizar fuera del círculo de su congregación.

En la mayoría de los casos, amar no será una decisión entre "éste o aquel" sino de "éste y aquel" basada en los círculos concéntricos de prioridad. Los padres cuyos hijos están adecuadamente alimentados y vestidos comparten lo que les queda con los que sufren necesidad. Un hombre puede dedicar sus mejores horas a su vida devocional y obligaciones familiares y a la vez reservar una noche por semana para estudio bíblico, una noche por mes para reuniones de comisión y dos veces por mes a su deporte favorito. La mujer soltera que trabaja puede apartar el 70 por ciento del dinero que le queda para ayudar a sus padres y dar 20 por ciento al fondo pro templo y 10 por ciento a la "Sociedad de lucha contra el cáncer".

La obligación de amar empieza en casa y debe extenderse luego hasta donde pueda. Dentro de cada círculo, las necesidades deben ser suplidas antes que lo sobrante se desborde al próximo nivel. De esta manera las ondas de los muchos círculos de amor alcanzarán a los que de otra manera no serán amados aparte de estos círculos.

Cada individuo debe discernir entre lo que necesita y lo que quiere en cada nivel del amor centralizado. Por ejemplo, sus hijos pueden desear que usted pase con ellos tres horas todas las noches de la semana para ayudarles con sus tareas escolares y para jugar con ellos. Pero usted sabe que una noche completa o dos por semana es suficiente para tener una interacción de calidad y para ayudarles. Esto le permite suplir las necesidades de otros que usted escoge amar con su tiempo y atención: su cónyuge, su grupo de estudio bíblico, sus compañeros de deporte. Si es usted un adulto soltero y le acaban de dar una buena promoción en el trabajo, puede sentirse tentado a mudarse a un departamento más grande en una zona de más categoría y con las comodidades que usted siempre quiso. Pero donde vive ahora está bien, cómodo, no necesita nada mejor y si se queda allí podrá disponer de más fondos para ayudar a sus padres y dar más al hogar de niños al cual ya aporta.

El amor quiere el bien y obra por el bien de los que ama, pero no significa extravagancia a un nivel y tacañería a otro nivel. El amor requiere que seamos observadores e ingeniosos a fin de poder discernir auténticas necesidades para que el excedente del amor centralizado pueda extenderse todo lo posible y aliviar las necesidades de la mayor cantidad posible de personas.

Este principio del amor centralizado es evidente tanto en el amor de Cristo como en sus últimas palabras a sus discípulos. Jesús dedicó la mayor parte de su tiempo a enseñar a un pequeño grupo de hombres, su círculo central. Luego estaba el grupo de setenta que mandó de dos en dos. Estaban los cientos y quizá miles más que enseñó en la ladera de la montaña y junto al mar.

Llevó a cabo todo su ministerio en su patria, dirigido mayormente a su propio pueblo, los judíos. No obstante, el excedente de su amor fluía hacia afuera tocando a muchos más, como los sirofenicios, samaritanos, gadarenos y romanos.

Ciertos griegos le pidieron a Jesús que sirviera al pueblo de ellos, pero se les informó que su ministerio a Jerusalén tenía prioridad (Juan 12:20ss.). El evangelio se extendería a Grecia más adelante. Aun después de que Jesús se levantara de los muertos, dijo que el ministerio debía empezar en casa, o sea Jerusalén y Judea, extenderse a los territorios vecinos como Samaria y más allá al resto del mundo (Hech. 1:8). Jesús enseñó y nos dejó el ejemplo de que el amor se expresa mejor cuando el amor por los que tenemos más cerca viene primero.

Amar al prójimo totalmente

El amor no debe ser sólo amplio sino también completo. La ética cristiana del amor demanda que amemos a toda la humanidad y a la persona integral, no sólo el alma eterna. En la parábola de Jesús, el Buen Samaritano no le predicó al hombre herido sobre su destino eterno. Vendó sus heridas y lo llevó al mesón donde recibiría cuidado. Jesús no sólo habló a la gente sobre el "pan de vida" para llenar su hambre espiritual (Juan 6:35), sino también del pan material para saciar su hambre física (Juan 6:5-11). Cada individuo es una persona integral, una unidad de alma y cuerpo, y estas partes son de igual valor para Dios. El nos hizo uno en esencia así como él es uno en su naturaleza (Deut. 6:4). La doctrina de la resurrección de los santos no tiene sentido si estamos completos sin nuestro cuerpo físico (2 Cor. 5:1-6).

Dado que cada persona es una unidad inseparable, no es extraño que los mandamientos sobre el amor se dirijan a la persona integral, no sólo a su alma. Juan lo expresó con nitidez cuando escribió: "Pero el que tiene bienes de este mundo y ve que su hermano padece necesidad y le cierra su corazón, ¿cómo morará el amor de Dios en él?" (1 Jn. 3:17). Santiago enfatizó igualmente: "Si un hermano o una hermana están desnudos y les falta la comida diaria, y alguno de vosotros les dice: 'Id en paz, calentaos y saciaos', pero no les da lo necesario para el cuerpo, ¿de qué sirve? Así también la fe, si no tiene obras, está muerta en sí misma" (Stg. 2:15-17). Por ejemplo, en un comedor que distribuye "sopa y salvación" a los que no tienen ni casa ni comida, la sopa es una expresión del amor de Cristo tanto como lo es el mensaje de salvación. Al mundo que nos observa no le importa nuestra pasión por salvar almas si descuidamos las evidentes necesidades físicas.

Tenga por seguro de que está usted obedeciendo el mandamiento de Cristo de amar al prójimo tanto cuando dona dinero a un fondo caritativo cristiano como cuando da una ofrenda a un ministerio evangelístico. Una bolsa de cincuenta kilos de papas a un albergue para los desamparados es una expresión de amor tanto como lo es la lección de escuela dominical que le brinda a su clase. Es verdad que comida, ropa y albergue únicamente no hacen que las personas entren al reino de Dios. También tienen que escuchar las buenas nuevas de Cristo y confiar en él como su Salvador y Señor. Pero resulta difícil escuchar una lección bíblica o un testimonio con el estómago vacío o si su cuerpo golpeado duele por las heridas sufridas en un terremoto. El cuidado cariñoso que busca suplir las necesidades físicas abre la puerta para poder suplir las necesidades espirituales. Henrietta Mears dijo: "La bondad ha convertido a más pecadores que el celo, la elocuencia o la erudición."

Los ministerios que buscan proveer lo necesario para suplir las necesidades físicas y que sacian el hambre espiritual ofrecen una doble ración del amor de Cristo. Un ministerio tal es "Operación Carelift" (operación caridad), una faceta del Ministerio de Josh McDowell y Cruzada Estudiantil y Profesional para Cristo. Desde 1992, la "Operación Carelift" ha utilizado anualmente miles de voluntarios para recolectar, empacar y repartir comida, ropa, medicamentos y útiles escolares a los ciudadanos menesterosos de Rusia. Las cajas y bolsas son entregadas en persona por cientos de voluntarios de Carelift. Y con la ayuda material van también Biblias, ejemplares de *Más que un carpintero* y el mensaje del evangelio. Un director de una escuela en Rusia comentó sobre los obreros de Carelift: "Deben de ser de otro planeta, ¡y ese planeta seguramente se llama AMOR!" Cuando un maestro ruso se enteró de que los voluntarios se habían pagado sus propios pasajes desde los Estados Unidos a Rusia para llevar esas donaciones, se le llenaron los ojos de lágrimas. "Eso es verdadero amor", dijo.

Otra organización cristiana, *Northwest Medical Teams* (Equipos médicos del noroeste), con sede en Portland, Oregon, Estados Unidos, moviliza doctores y enfermeras voluntarios que atienden a los enfermos y heridos en áreas donde la sequía, la guerra, las inundaciones devastadoras y terremotos han cobrado sus víctimas humanas. El cuidado médico salvavidas dado con amor abre los ojos espirituales al amor de Cristo. *Samaritan's Purse* (Cartera samaritana), operada por Franklin, el hijo de Billy Graham, ayuda a las personas necesitadas en todo el mundo, como lo hacen Visión Mundial y muchos otros.

Nuestra responsabilidad como cristianos de amar a la persona integral va más allá de suplir las necesidades básicas de alimento, ropa y atención médica. Los seres humanos tenemos también necesidades sociales. En su parábola sobre el cuidado de quienes sufren necesidad, Jesús se refirió a la soledad cuando dijo: "Fui forastero, y me recibisteis... estuve en la cárcel, y vinisteis a mí" (Mat. 25:35, 36). Santiago nos insta a "visitar a los huérfanos y a las viudas en su aflicción" (Stg. 1:27). Visitar o tener correspondencia con ancianos confinados en su casa o guardería, enfermos de SIDA o presos en la cárcel es una expresión del amor en acción. También lo es acercarse a hermanos de la iglesia, vecinos y compañeros de trabajo que los demás desprecian, o llamar por teléfono a un amigo que sufre simplemente para escucharle y demostrarle que estamos a su lado. En situaciones como éstas, el tiempo y atención que brindamos es lo que comunica nuestro amor.

Otra situación en que el amor puede ser eficazmente activado es en la opresión. Refiriéndose a los israelitas esclavos en Egipto, Dios demandó del faraón: "Deja ir a mi pueblo." Dios prohíbe todo tipo de opresión. "No maltratarás ni oprimirás al extranjero... No afligirás a ninguna viuda ni huérfano" (Exo. 22:21, 22). Cuandoquiera que actuamos para corregir una injusticia racial, cuando votamos en favor de una ley que protege los derechos que Dios da a un individuo o grupo, cuando confrontamos a un empleador por el trato injusto a sus obreros, estamos expresando amor por las víctimas de la opresión. Es responsabilidad del amor cristiano oponerse a la opresión y trabajar en pro del bien de todas las personas. El amor se preocupa, en igual medida, por las necesidades físicas, necesidades sociales y necesidades espirituales.

Preguntas difíciles y respuestas sin rodeos sobre amar al prójimo

1. *¿Cómo podemos amar a los cristianos que viven en pecado?*

El amor provee lo que las personas necesitan y las protege del mal. Los cristianos desobedientes necesitan ser confrontados cariñosamente para hacerles ver su desobediencia, con la esperanza de protegerles de las consecuencias de su mala conducta. Por ejemplo tiene usted una amiga cristiana soltera que está teniendo relaciones sexuales con su novio. Ella necesita que usted le diga: "En vista de la pureza de Dios y la clara declaración de la Biblia de que la inmoralidad sexual es mala, te exhorto a que dejes de hacer lo que estás haciendo." Quizá no quiera ella escucharle, pero está usted actuando para bien de su amiga. Su amor quiere protegerla de la carga del remordimiento en el futuro cuando esté casada, y de posibles enfermedades venéreas.

Algunos llaman a esto "amor firme", arriesgar una amistad a fin de lograr que una hermana o hermano cristiano se aparte del pecado. No se les hace ningún favor si se disimula su conducta para que no se ofendan o para no perder su amistad. Es mucho más peligroso para ellos si siguen en la dirección equivocada. Las personas que usted confronta quizá no le hagan caso, y pueden distanciarse de usted por un tiempo o para siempre. Demostrar su amor en la práctica no es garantía de que será bien recibido. Pero tiene que hacer todo lo que puede en el nombre de Dios para proveerles de lo que es para su bien y para protegerlos del mal. Cómo reaccionan es cuestión de ellos y de Dios.

2. *¿Cómo podemos amar a los no cristianos cuyos valores y comportamientos chocan con los valores y comportamientos cristianos?*

Tenemos que distinguir conscientemente entre el pecador y la conducta pecaminosa. Amemos al pecador como una persona a quien Dios ama, luego encaremos el pecado. El amor provee y protege. Los inconversos tienen auténticas necesidades físicas, emocionales y espirituales. Proveámosles de lo que necesitan sin comprometer nuestra fe, procurando protegerles del mal definitivo que enfrentan: una eternidad sin Dios.

Por ejemplo, tiene usted un compañero de trabajo que es un racista declarado y lo demuestra con lo que dice y hace. No importa cuánto le repugna a usted su manera de ser, es una persona por quien Cristo dio su vida. No va en dirección al infierno porque sea racista; su conducta es un síntoma de su necesidad de Cristo. Busque las maneras de ser una influencia positiva y un aliento para él tal como lo haría con cualquier otra persona en su lugar de trabajo. Haga todo lo que pueda que sea lo mejor para él. Ore que Dios le dé oportunidades a usted para lograr que se aparte del pecado y entregue su corazón a Cristo.

10

Así es la ley del amor

Hace algunos años yo (Josh) fui invitado a aparecer en un programa de televisión en un debate con Anson Mount, el cofundador de la filosofía de la revista "Playboy". El tema del debate era amor, moralidad y ética. Me pareció una magnífica oportunidad para dar testimonio de Cristo así que acepté encantado. No tenía idea del lío en el que me estaba metiendo.

Al prepararme para el programa, empecé a ponerme nervioso. Sabía que el tema de la ética situacional —que sugiere que en cada situación moral debemos hacer lo que sea motivado por el amor— sería tratado porque la filosofía de "Playboy" está basada mayormente en ella y mi contrincante era su firme defensor. Mount hasta cita Romanos 13:8: "No debáis a nadie nada, salvo el amaros unos a otros; porque el que ama al prójimo ha cumplido la ley." Mis nervios se debían a que yo creía lo mismo: Debemos hacer lo que es motivado por el amor en cada situación. No podía ver un gramo de diferencia entre mi posición y lo que yo esperaba que postularía Anson Mount.

Al irse acercando el día del debate, mi nerviosismo se convirtió en pánico. Jamás en mis treinta años de ministerio he sentido más miedo de enfrentar un tema o tener que dar una conferencia que en aquella ocasión. Estudié Romanos 13:8 consultando un comentario tras otro, tratando de encontrar una falla en la ética situacional. Todo lo que leía coincidía en que amar era bíblico y no podía entender cómo la filosofía de "Playboy" podía estar equivocada si concordaba con la Biblia. Iba a aparecer en un programa de televisión nacional representando al cristianismo, sin tener una respuesta a la filosofía de "Playboy". Ya me sentía muerto y enterrado como un defensor de la fe.

La noche antes del debate me encerré en la habitación del hotel con mi Biblia, empecinado en encontrar la respuesta. De vez en cuando Dottie, mi esposa, me llamaba y preguntaba:

—¿Ya la encontraste?

—No, pero sigue orando —le respondía.

Finalmente volví a leer Romanos 13:8. Pero en lugar de detenerme allí con sólo ese versículo, leí también los versículos 9 y 10. La respuesta me pegó como un relámpago al leer: "Porque los mandamientos —no cometerás adulterio, no cometerás homicidio, no robarás, no codiciarás, y cualquier otro mandamiento— se resumen en esta sentencia: Amarás a tu prójimo como a ti mismo. El amor no hace mal al prójimo; así que el amor es el cumplimiento de la ley." La ética situacional dice: "Haz lo que sea motivado por el amor", pero no explica lo que eso sea. Es como estar en medio del Océano Pacífico sin instrumentos de navegación y que a uno le digan que se dirija al Canal de Panamá. Dios dice: "Haz lo que sea motivado por el amor", y luego explica en los Diez Mandamientos cómo amar, incluyendo el clarísimo mandamiento sobre la conducta sexual: "No cometerás adulterio." Dios no nos dejó abandonados a nuestra propia suerte para que determinemos cuál es la acción motivada por el amor según la situación; nos dio indicaciones específicas. Su ley del amor no elimina sus mandamientos; sencillamente los resume. Las leyes de Dios son el compás y el sextante que nos señalan hacia la conducta motivada por el amor por medio de prohibir la conducta no motivada por él. Si usted ama a una persona, no le hará daño: procurará lo mejor para ella.

Llamé a Dottie y nos regocijamos juntos por la ayuda oportuna de Dios. El debate fue bueno. Aparentemente no le hice cambiar de idea a Anson Mount en cuanto a la inmoralidad de la filosofía de "Playboy", pero confío que Dios haya usado mi presentación para hablar a miles de televidentes aquella noche.

Muchos en la actualidad creen lo que yo antes equivocadamente daba por sentado: que el amor y la ley son incompatibles. Argumentan que la gente del Antiguo Testamento estaba bajo la ley mientras que la gente desde los tiempos del Nuevo Testamento en adelante —incluyendo a los cristianos en la actualidad— está bajo la gracia o el amor. Juan 1:17 y Romanos 6:14 son citados con frecuencia para apoyar este concepto: "La ley fue dada por medio de Moisés, pero la gracia y la verdad nos han llegado por medio de Jesucristo"; "Porque el pecado no se enseñoreará de vosotros, ya que no estáis bajo la ley, sino bajo la gracia." Pero no se trata de la ley *o* el amor; sino de la ley del amor. Por eso David podía decir con gozo: "¡Cuánto amo tu ley!... Por eso amo tus mandamientos más que el oro, más que el oro puro" (Sal. 119:97, 127).

Aunque es cierto que los cristianos no están ni sujetos a las ceremonias ni a las maldiciones de la ley mosaica (Heb. 8-10; Gál. 3:13), los principios éticos incorporados en la ley mosaica siguen vigentes para todos los cristianos. En realidad, los principios éticos eternos expresados en los Diez Mandamientos no son incompatibles con la naturaleza del Dios de amor; son en realidad la expresión de ese amor. En los dos más grandes mandamientos —amor a Dios y al prójimo— Dios nos dice que hagamos lo que sea motivado por el amor. En los Diez Mandamientos y en otras instrucciones que da la Biblia, Dios nos muestra cuáles son las acciones motivadas por el amor y nos advierte contra lo que no es motivado por el amor.

La ley sobre el amor en el Antiguo Testamento

El amor es el fundamento de la ley mosaica. Las palabras introductorias de los Diez Mandamientos son una expresión del amor de Dios por su pueblo: "Yo soy Jehovah tu Dios que te saqué de la tierra de Egipto, de la casa de esclavitud" (Exo. 20:2). Esta declaración es una de las verdades más prominentes en todo el Antiguo Testamento, apareciendo de una forma u otra en más de cien ocasiones. Le recordaba a Israel el acto de amor de Dios por ellos más celebrado: la liberación de la opresión en Egipto. El segundo mandamiento subraya aun más el amor de Dios: "Yo soy Jehovah tu Dios... muestro misericordia por mil generaciones a los que me aman y guardan mis mandamientos" (Exo. 20:5, 6). Abundan en el Antiguo Testamento las palabras que describen a Dios como misericordia, bondad y favor. Quienquiera que originó el error de que el amor es exclusivamente una enseñanza del Nuevo Testamento no leyó el Antiguo Testamento.

La ley misma es una expresión del amor de Dios. Vemos en los Diez Mandamientos el compromiso de Dios de proveer lo que es para nuestro bien y de protegernos del mal. El quinto mandamiento incluye la promesa amante: "Honra a tu padre y a tu madre, para que tus días se prolonguen sobre la tierra que Jehovah tu Dios te da" (Exo. 20:12). Otras leyes con frecuencia incluyen una frase como: "para que Jehovah tu Dios te bendiga en toda obra que hagas con tus manos" (Deut. 14:29). Después de leerles la ley a los israelitas desde el Monte Gerizim, Moisés les recordó: "Cuando obedezcas la voz de Jehovah tu Dios, vendrán sobre ti todas estas bendiciones y te alcanzarán: Bendito serás en la ciudad, y bendito en el campo. Benditos serán el fruto de tu vientre, el fruto de tu tierra y el fruto de tu ganado, la cría de tus vacas y el incremento de tus ovejas. Benditas serán tu canasta y tu artesa de amasar. Bendito serás al entrar, y bendito al salir" (Deut. 28:2-6). En sus discursos de despedida a Israel, Moisés exhortó: "Guardad, pues, las palabras de este pacto y ponedlas por obra, para que prosperéis en todo lo que hagáis" (Deut. 29:9).

Cuando Dios dio la ley, dijo que era "para tu bien" (Deut. 10:13), para proveernos lo que es para nuestro bien y para protegernos. El propósito de Dios al dar su ley era bendecir a su pueblo proveyéndonos de lo necesario para nuestra prosperidad y felicidad y para protegernos de la angustia y del sufrimiento. Las maldiciones en la ley son sencillamente advertencias para los que no guardan la ley. ¡Qué misericordioso es Dios al dar al ser humano bastantes advertencias de antemano con la esperanza de librarlo de las consecuencias del pecado! Las leyes de Dios abren el camino al amor a Dios y nuestro prójimo. Nos fueron dadas para ayudarnos a guardar los dos grandes mandamientos. La ley escrita es el amor volcado en palabras.

La ley sobre el amor en el Nuevo Testamento

La importancia vital de la ley no disminuyó con el Nuevo Testamento. Jesús declaró: "No penséis que he venido para abrogar la Ley o los Profetas. No he venido para abrogar, sino para cumplir" (Mat. 5:17). Más de noventa veces Jesús y los escritores del Nuevo Testamento afirman "como está escrito" citando al Antiguo Testamento como la autoridad en que basaban su enseñanza.

Nueve de los Diez Mandamientos vuelven a aparecer en el Nuevo Testamento, la mayoría casi palabra por palabra. En Romanos 13:8 y 9, Pablo subraya las prohibiciones respecto al adulterio, homicidio, robo y codicia. El honrar a los padres aparece en Efesios 6:2. Muchos pasajes condenan la idolatría (Gál. 5:19, 20; 1 Juan 5:21); igualmente la mentira (Ef. 4:25). Jesús en Mateo 5:34 condenó el jurar, y la supremacía de Dios es afirmada en diversos pasajes, como 1 Corintios 8:5 y 6. La ley del sábado o séptimo día es la única que no se reitera. Los cristianos primitivos se reunían para adorar a Dios el primer día de la semana (Hechos 20:7) o "Día del Señor" (Apoc. 1:10), el día que Cristo resucitó de los muertos (Mat. 28:1). La mayoría de los cristianos en la actualidad mantienen que la ley del día sábado se cumplió con la resurrección de Cristo. Algunos cristianos creen que el espíritu de apartar un día entre siete para rendir culto a Dios y descansar es preservado en el "Día del Señor" del Nuevo Testamento.

Así que no podemos descartar los Diez Mandamientos argumentando que el amor ha reemplazado a la ley en el Nuevo Testamento. Los mandamientos eran tan importantes para los creyentes del Nuevo Testamento como lo eran para los creyentes del Antiguo Testamento. El mandamiento en el Nuevo Testamento de amar a Dios y amar al prójimo *es un resumen* de los Diez Mandamientos, pero *no los sustituye*. Las leyes de Dios proveen pautas prácticas para cumplir el mandato divino de amar.

Así que si los principios morales que son la base de los Diez Mandamientos no fueron abolidos en el Nuevo Testamento, ¿en qué sentido los cristianos en la actualidad no están "bajo la ley, sino bajo la gracia" (Rom. 6:14)? El pasaje clave que contesta esta pregunta es Gálatas 3:13: "Cristo nos redimió de la maldición de la ley al hacerse maldición por noso-

tros." Ya no estamos bajo la maldición de la ley moral de
Moisés porque Cristo pagó la pena de todo quebranto de la ley.
Cristo tomó sobre sí la maldición del pecado, que es la muerte,
la pena por desobedecer a Dios (1 Cor. 15:55, 56). Pero quitar
la maldición de la ley y abolir los principios morales incrusta-
dos en sus mandamientos son dos cuestiones muy diferentes.

Dado que los Diez Mandamientos son presentados nuevamente en el Nuevo Testamento, estos principios morales de la
ley siguen vigentes para los seguidores de Cristo. Pero el contexto de la ley es la gracia en lugar del juicio porque Cristo
tomó sobre sí la sentencia de nuestro pecado. Es la misma ley
moral, sin el agregado de las maldiciones. Por ejemplo, la sentencia para el adulterio en el Antiguo Testamento era la
muerte (Lev. 20:10). El adulterio todavía se prohíbe en el
Nuevo Testamento, pero no incluye aquella sentencia. ¿Por
qué? Porque Cristo pagó la sentencia de muerte por todo pecado, incluyendo el adulterio. En la iglesia primitiva, Pablo dio
instrucciones en el sentido que el adúltero debía ser quitado
de la iglesia como una disciplina (1 Cor. 5:1-5) y luego restau-
rado y confortado (2 Cor. 2:5-8). El mandamiento es el mismo,
pero la maldición, habiendo sido pagada, había sido quitada y
se promete bendición a quienes se arrepienten y reciben la
limpieza que la muerte de Cristo compró.

La maldición moral de la ley ha sido quitada, pero tenga
por seguro que el pecado todavía tiene consecuencias físicas y
emocionales. El adulterio causa angustia a las familias víctimas de la ofensa, culpabilidad en los participantes y vergüenza sobre la iglesia o comunidad. Matrimonios cristianos han
sido destrozados y ministerios arruinados por el adulterio.
Además, el adúltero, aunque penitente y perdonado, tendrá
que vivir con la realidad del divorcio, de un hijo no planeado
o una enfermedad venérea como resultado de su desobediencia. El pecado siempre se cobra un alto precio, pero gracias a
la gracia de Dios, la maldición eterna ha sido pagada por
Cristo.

No sólo son abolidas las maldiciones de la ley en el Nuevo
Testamento, sino que también han cambiado las bendiciones.
Por ejemplo, la bendición del Antiguo Testamento resultante
de honrar al padre y a la madre era "para que tus días se prolonguen sobre la tierra que Jehovah tu Dios te da" (Exo.
20:12). Cuando vuelve a aparecer el mandamiento en Efesios

6:3, la bendición prometida es "para que te vaya bien y vivas largo tiempo sobre la tierra." Es lo mismo con los demás mandamientos. El *contenido* de los mandamientos morales del Nuevo Testamento es idéntico al del Antiguo Testamento, pero el *contexto* es diferente. Uno es un contexto mosaico aplicado a una nación teocrática; el otro se aplica a creyentes individuales. El primero tiene sanciones y bendiciones que no se aplican al segundo.

La similitud entre la ley moral en el Antiguo y Nuevo Testamentos es como una ley civil que es la misma en dos distintos países. Por ejemplo, no hacer caso a la velocidad máxima en una carretera es una violación de la ley tanto en España como en Argentina. Pero si a usted lo detienen por exceso de velocidad en Madrid no significa que violó la ley en Buenos Aires. Es la misma ley pero en dos distintos países. Los principios éticos eternos personificados en la ley mosaica son los mismos que se vuelven a dar en el Nuevo Testamento, pero el contexto es de gracia en lugar de juicio porque la sentencia ha sido pagada por Cristo. Si usted comete adulterio bajo la gracia, ha violado la ley de Dios, pero no tiene que pagarlo con su vida como si hubiera vivido bajo la ley mosaica hace 3.000 años. Cristo lo pagó con su vida de una vez para siempre (Heb. 10:10). Por eso Juan escribió: "La ley fue dada por medio de Moisés, pero la gracia y la verdad nos han llegado por medio de Jesucristo" (Juan 1:17). Por gracia, Cristo tomó sobre sí la maldición de la ley de Moisés. Por la gracia por medio de la fe en su muerte expiatoria, esa maldición nos ha sido quitada.

Los cristianos no están bajo la codificación particular mosaica de los Diez Mandamientos. Vivimos en otro "país". Cuando mentimos o robamos, no estamos quebrantando la ley de Moisés ni sufrimos las consecuencias estipuladas por la ley de Moisés. Los cristianos que mienten o roban están quebrantando la ley eterna de Dios, que al principio se personificó en los Diez Mandamientos y es una expresión de la propia naturaleza y del propio carácter de Dios. Pero estamos sujetos a la ley de Dios en virtud de su expresión en el Nuevo Testamento, aparte de las características nacionales y teocráticas que eran singulares a Israel.

Dios no ha cambiado (Heb. 6:18; 13:8). Sigue siendo el Dios de amor en el Nuevo Testamento como lo era en el Antiguo Testamento. Los principios morales que expresan su amor por nosotros y nos muestran cómo expresarlo a Dios y al prójimo siguen siendo los mismos.

La ley y el amor en armonía perfecta

Cuando hablamos de las siguientes leyes para expresar el amor de Dios y nuestro amor a Dios y nuestros semejantes, alguien invariablemente nos acusa de "legalismo". A los ojos de algunos, cualquiera que reverencia los Diez Mandamientos es un fariseo de la era moderna. ¿Pero son incompatibles las leyes y el amor? ¿Somos necesariamente legalistas porque creemos en muchas leyes morales universalmente obligatorias? El Nuevo Testamento contesta claramente esta pregunta: No.

Jesús nunca reemplazó las leyes de Moisés con una sola ley del amor como algunos sugieren. En primer lugar, Jesús nunca dijo que había una sola ley del amor. Habló de por lo menos dos: una para amar a Dios y otra para amar a nuestros semejantes (Mat. 22:37-39). Además, Jesús nunca dijo que éstas sustituirían las muchas leyes morales contenidas en el Antiguo Testamento; eran sencillamente un *resumen* de ellas. Jesús dijo que había venido para cumplir la ley, no para abolirla (Mat. 5:17). De la misma manera, el apóstol Juan escribió: "Amados, no os escribo un mandamiento nuevo sino el mandamiento antiguo que teníais desde el principio... Porque éste es el mensaje que habéis oído desde el principio ...que nos amemos los unos a los otros" (1 Jn. 2:7; 3:11). Los mandamientos sobre el amor no reemplazan a los Diez Mandamientos; sólo los reducen al común denominador de su esencia: el amor. ¿Por qué? Porque si amamos a Dios y a nuestros semejantes, no quebrantaremos los mandamientos de Dios (Rom. 13:10). Los dos mandamientos sobre el amor meramente resumen, o sea, cumplen el propósito de las muchas leyes morales. Todas las leyes dependen del amor como su fundamento y son cumplidas por el amor en las manifestaciones de ellas. La ley y el amor no son incompatibles; son uña y carne.

Cada uno de los Diez Mandamientos nos indica cuál es la acción de amor para realizar y cuál la acción no motivada por el amor que hemos de evitar en nuestra relación con Dios y los demás. Cada ley es amor volcado en palabras que nos guían hacia un curso de acción concreto, de amor.

1. *No tendrás otros dioses delante de mí* quiere decir que la devoción a Dios debe ser pura, singular, sin rivalizar con ninguna otra persona, cosa o idea.

2. *No te harás imagen* quiere decir que la devoción a Dios debe enfocarse en él, no en prácticas religiosas, en accesorios ni sustitutos.

3. *No tomarás en vano el nombre de Jehovah tu Dios* quiere decir que la devoción a Dios debe incluir el respeto y la reverencia hacia su persona y su nombre.

4. *Acuérdate del día sábado para santificarlo* quiere decir que la devoción a Dios debe incluir tiempo cada semana dedicado a adorarle y descansar en honor a él.

5. *Honra a tu padre y a tu madre* quiere decir que el amor hacia los padres debe ser expresado por medio de reconocerlos, respetarlos y estimarlos.

6. *No cometerás homicidio* dice que el amor a nuestros semejantes debe ser expresado por medio de una alta estima y la diligente preservación de la vida humana.

7. *No cometerás adulterio* dice que el amor por el cónyuge (o futuro cónyuge) debe ser demostrado por medio de la pureza sexual y la fidelidad.

8. *No robarás* quiere decir que el amor hacia los demás debe ser expresado por medio del respeto hacia su propiedad y posesiones.

9. *No darás falso testimonio contra tu prójimo* quiere decir que el amor hacia los demás debe ser expresado por medio de la honestidad y la veracidad en todos nuestros tratos.

10. *No codiciarás* quiere decir que el amor por los demás debe enfocarse en lo que podemos darles en lugar de lo que podemos quitarles.

Los numerosos principios enunciados en la Biblia —incluyendo las instrucciones de Jesús en los Evangelios y de los apóstoles en las epístolas del Nuevo Testamento— deben ser interpretados de la misma manera. Cada uno tiene una aplicación específica respecto al mandamiento de amar en cierto contexto o relación. Estas leyes y pautas definen la obligación del amor en cada esfera de responsabilidad.

Dios en su sabiduría y amor nos da una explicación detallada y las implicaciones del mandamiento sobre el amor en los muchos principios morales del Antiguo y Nuevo Testamentos. El resumen es necesario a fin de que no olvidemos que el amor es el alma de cada mandamiento. Pero las muchas leyes son necesarias para que podamos tener suficiente comprensión de nuestra responsabilidad de amar en distintas situaciones. Dios no nos dejó a merced de nuestro propio criterio en cuanto al significado y aplicación del amor en nuestra relación con él y con los demás. Lo explicó detallada y claramente en sus mandamientos al decir inequívocamente lo que sí debemos hacer y lo que no debemos hacer.

El hecho de que muchos de los mandamientos y principios morales en la Biblia son presentados en una forma negativa no significa que su intención sea negativa. Es mucho más fácil nombrar unas pocas cosas que no son motivadas por el amor que las muchas que sí lo son. En efecto, los mandamientos nos indican que algunas cosas nunca pueden ser motivadas por el amor y que debemos evitarlas. Pero todo lo demás puede ser motivado por el amor, y es nuestra obligación ver que nuestras palabras y acciones lo sean. Y lo que es más, la intención de cada mandamiento negativo es positiva: Amar es la única manera de responder y relacionarnos con Dios y nuestro prójimo. Tan interesado estaba Dios en que supiéramos exactamente lo que significa amar que lo explicó detalladamente en sus leyes. La ley de Dios es su amor expresado en palabras.

Preguntas difíciles y respuestas sin rodeos sobre la ley y el amor

1. *¿Cómo debe el cristiano responder a ciertas leyes específicas del Antiguo Testamento con respecto a comer ciertos mariscos o carne de cerdo o no utilizar ciertas fibras para su ropa? ¿Cómo podemos distinguir entre lo que es cosa de la cultura y lo que es universal?*

Los dos aspectos de las leyes en cuestión son la ley ceremonial, que se aplicaba a ciertos alimentos y procedimientos en la Israel del Antiguo Testamento, y la ley moral, los mandamientos aplicables a nuestra relación con Dios y nuestros semejantes. Los cristianos no estamos bajo la ley ceremonial porque Jesús la anuló. Declaró que todos los alimentos eran ceremonialmente limpios (Marcos 7:18, 19). Pedro recibió ese mismo mensaje nuevamente cuando tuvo su visión en Jope (Hechos 10:15). Pablo recalcó la declaración de Cristo en sus escritos (1 Tim. 4:3-5). Pero la ley moral de Dios es permanente porque refleja su naturaleza inmutable (Mal. 3:6; Heb. 6:18; 2 Tim. 2:13). Dondequiera que encontremos a la ley moral de Dios mostrándonos cómo amarle a él y a nuestro prójimo, podemos estar seguros que sigue en vigencia.

2. *El mandamiento que tiene que ver con el día de descanso ¿significa que pecamos si trabajamos ese día o causamos que alguien trabaje al comer en un restaurante o hacer compras el domingo?*

En la actualidad el cristiano no está bajo la ley del sábado del Antiguo Testamento, que es el único de los Diez Mandamientos que no se enseña en el Nuevo Testamento. Si estuviéramos bajo esta ley, tendríamos que dejar de trabajar entre el atardecer del viernes hasta el atardecer del sábado, el sábado judío. No obstante, el principio moral en que se basa la ley del sábado era observado por los cristianos primitivos que reservaban el primer día de la semana —el domingo— para el descanso y la adoración (Hechos 20:7; 1 Cor. 16:2; Apoc. 1:10).

Aunque no estamos obligados a guardar la ley del Antiguo Testamento con respecto al sábado, debemos reservar un día a la semana para el descanso y la adoración (Heb. 10:25). Para la mayoría de nosotros, el domingo es justamente tal día porque las congregaciones cristianas tradicionalmente se reúnen los domingos. Los que tienen que trabajar el domingo, como son el personal de los servicios de emergencia o de transportes, deben dedicar parte del domingo u otro día a la adoración y el descanso o procurar una rotación de su horario a fin de ir a los cultos algunos domingos. Las personas que optan por trabajar en restaurantes o en negocios que abren los domingos también deben cuidar el detalle de tomarse un día para asistir a los cultos en otras ocasiones. No necesariamente pecamos cuando comemos en un restaurante o hacemos compras el domingo. La responsabilidad es de los individuos que nos sirven. Si quieren obedecer de corazón a Dios tomarán otro día de la semana para descansar, relajarse y adorar al Señor. Si no se sienten motivados a hacerlo, esa es cuestión de ellos. Da lo mismo si nos sirven la comida a nosotros o a otros.

3. *¿Es dar el diezmo una práctica del Nuevo Testamento tanto como una ley del Antiguo Testamento? ¿Cómo demuestra el diezmo el amor a Dios y al prójimo?*

El diezmo existía mucho antes que la ley de Moisés, habiendo sido practicado tanto por Abraham (Gén. 14) como por Jacob (Gén. 28). Y el diezmo sigue en el Nuevo Testamento. Jesús lo mencionó en Mateo 23:23 como algo digno de practicar y Pablo lo infirió en 1 Corintios 9:13 y 14 como una manera de compensar a quienes nos sirven en el ministerio. El diezmo parece una norma mínima razonable para el dar cristiano, con el agregado de ofrendas sacrificiales según cada uno lo proponga en su corazón (2 Cor. 8:3, 4). Jesús dijo: "Nadie puede servir a dos señores; porque aborrecerá al uno y amará al otro, o se dedicará al uno y menospreciará al otro. No podéis servir a Dios y a las riquezas" (Mat. 6:24). Dar generosa y alegremente nos es un recordatorio de que hemos de servir a Dios, no a nuestro dinero, y demuestra nuestro amor a él de una forma tangible.

11

El amor encarnado

La ley puso al amor en palabras para que pudiéramos entender su significado. Jesucristo puso al amor en la vida para que pudiéramos cumplir sus demandas. Jesús dijo que había venido para cumplir la ley. Lo hizo viviendo los principios morales contenidos en el Antiguo Testamento. Jesús nos mostró cómo es el amor a Dios y al prójimo en la conducta humana, siendo el ejemplo perfecto para todos los que se comprometen a obedecer los dos grandes mandamientos.

Una vida digna de observar

La naturaleza humana es tal que una vida vivida nos impacta más que una palabra dicha, especialmente en el área de la moralidad y ética. Cuando de saber y hacer el bien se trata, no hay substituto para el ejemplo vivo. Jesús fue ese ejemplo para toda la humanidad. Su vida y ministerio sobre la tierra personificaron todos los preceptos morales contenidos en el Antiguo Testamento. Jesús no sólo enseñó la ley moral de Dios, sino que la vivió en su total perfección. Vivió una vida digna de observar.

El mensaje más elocuente predicado por medio de la vida de Jesús es el amor de Dios por su creación humana. Como observara Juan: "En esto se mostró el amor de Dios para con nosotros: en que Dios envió a su Hijo unigénito al mundo para

131

que vivamos por él" (1 Jn. 4:9). Cristo fue el regalo que Dios nos dio envuelto en carne humana. Fue el "Verbo" definitivo sobre el amor de Dios en nuestro mundo (Juan 1:14). La ley de Moisés es una expresión del amor de Dios en palabras. La encarnación de Cristo es la expresión del amor de Dios en la vida humana.

La Biblia es muy explícita en cuanto a la perfección de la vida de Cristo. Pedro dijo: "El no cometió pecado, ni fue hallado engaño en su boca" (1 Ped. 2:22). Fue un "cordero sin mancha y sin contaminación" (1:19). Pablo declaró que Cristo "no conoció pecado" (2 Cor. 5:21). "El fue tentado en todo igual que nosotros, pero sin pecado" (Heb. 4:15). La Primera Epístola de Juan tiene numerosas referencias al hecho de que Jesús no tenía pecado: "En él no hay tinieblas" (1:5) "Jesucristo el justo" (2:1); "es puro" (3:3); "en él no hay pecado" (3:5). Pilato dijo: "No hallo ningún delito en este hombre" (Luc. 23:4). El juicio de Pilato ha sido el veredicto de la historia. Jesús vivió una vida verdaderamente sin defecto.

La perfección de la vida de Cristo no consistía simplemente en la ausencia de lo malo; consistía en la presencia de todo lo correcto y bueno, particularmente su amor. Jesús amaba a Dios el Padre (Juan 14:31). Amó a sus discípulos (Juan 13:1; 17:12, 26). Demostró su compasión hacia las multitudes (Mar. 8:2), particularmente hacia su propio pueblo, los judíos, quienes lo rechazaron (Mat. 23:37). Sanó a los enfermos, dio vista a los ciegos, resucitó a los muertos y se dio incansablemente para ayudar a otros. Su vida fue realmente una continua demostración del amor perfecto.

¿Le preocupa que el ejemplo de amor de Jesús fue perfecto y que el suyo es muchas veces imperfecto? ¿Se da a veces por vencido diciendo: "¡Para qué me esfuerzo! Nunca podré imitar el ejemplo de Cristo"? No se desanime. Cristo es perfecto en todo. Aunque nos anima a seguir su ejemplo (1 Ped. 2:21), entiende nuestras debilidades y nos perdona nuestras imperfecciones. Juan escribió sobre este contraste: "Hijitos míos, estas cosas os escribo para que no pequéis. Y si alguno peca, abogado tenemos delante del Padre, a Jesucristo el justo" (1 Jn. 2:1). La norma de Dios es la perfección de Jesús (Ef. 4:13); y él está obrando en nosotros para rehacernos a la imagen de su Hijo (Rom. 8:29; Fil. 2:13). Un día seremos igual que Jesús en todo lo que se relaciona a su carácter (1 Jn. 3:2). Has-

ta que esto suceda, al estudiar su ejemplo y confiar en su poder, debemos vivir más en amor este mes, este año, esta década que lo hicimos en el anterior. Y ya que él es perfecto y nosotros no, siempre tendremos una meta a la cual apuntar en
este proceso de aprender a amar a Dios y al prójimo como él
ama.

La vida de Cristo ilustra dramáticamente varios aspectos
importantes del amor divino. Una mirada más detenida a
estas áreas serán de aliento para que su propio amor crezca.

✶ Primero, Jesús amó sin hacer distinciones. Otros judíos
evitaban el contacto con personas como la mujer samaritana
con su sórdido pasado, pero Jesús inició una conversación que
cambió la vida de ella y la de muchos otros (Juan 4). Jesús dio
de su tiempo a todos los que le buscaban, aun a los inadaptados y parias. Con un toque de su mano sanó a los leprosos, a
mendigos ciegos, a endemoniados enloquecidos. Se sentía cómodo tanto con los ricos como con los pobres. Ministró a prostitutas, cobradores deshonestos de impuestos, soldados romanos, almidonados dignatarios religiosos judíos y extranjeros.
El ejemplo de Jesús nos anima a mirar más allá de las diferencias físicas, culturales y socioeconómicas a fin de ver a cada individuo como alguien merecedor de nuestro amor.

✶ Jesús también amó *incondicionalmente*. Amaba a la gente, sea que lo aceptaran o no, como Mesías y Señor. Aun cuando Jesús sabía desde el principio que Judas lo traicionaría
(Juan 13:11), mostró la misma preocupación por el traidor que
por sus otros discípulos (Juan 6:70, 71, 17:12). Oró por los que
lo crucificaron: "Padre, perdónalos, porque no saben lo que
hacen" (Luc. 23:34). Pablo escribió sobre el amor incondicional
de Cristo: "Difícilmente muere alguno por un justo... Pero
Dios demuestra su amor para con nosotros, en que siendo aún
pecadores, Cristo murió por nosotros" (Rom. 5:7, 8). Jesús nos
muestra que tenemos que amar a todos, no porque nos amen
a nosotros, nos conozcan o se preocupen por nosotros, sino,
porque todos necesitan el amor de Dios y el nuestro.

✶ Jesús amó *inmensurablemente*. Pablo oró pidiendo que
fuéramos "completamente capaces de comprender... cuál es la
anchura, la longitud, la altura y la profundidad... [del] amor
de Cristo" (Ef. 3:18). ¿Por qué necesitamos entender la grandeza del amor de Cristo? Porque nuestro amor necesita ser
cada vez más ancho y largo y alto y profundo para abarcar la

increíble necesidad de amor que existe a nuestro alrededor. El amor de Cristo no tiene fin, así que podemos confiar en él para ayudarnos a desarrollar un amor que "todo lo sufre, todo lo cree, todo lo espera, todo lo soporta" (1 Cor. 13:7), aun en los casos de las personas más antipáticas y difíciles de amar.

La esencia del amor de Cristo es que lleva al sacrificio. "Porque de tal manera amó Dios al mundo, que ha dado..." (Juan 3:16). El apóstol Pablo se regocijaba en Cristo "quien me amó y se entregó a sí mismo por mí" (Gál. 2:20). Jesús dijo a sus discípulos: "Nadie tiene mayor amor que éste, que uno ponga su vida por sus amigos" (Juan 15:13). Identificándose a sí mismo como el buen pastor, proclamó: "Pongo mi vida por las ovejas... Nadie me la quita, sino que yo la pongo de mí mismo" (Juan 10:15, 18). El amor que lleva al sacrificio rara vez es fácil o divertido. Amar a otros como Cristo amó nos puede costar algo de tiempo, dinero, energía, comodidad y conveniencia. Aun así Juan, el apóstol del amor nos desafía: "El puso su vida por nosotros. También nosotros debemos poner nuestras vidas por los hermanos" (1 Jn. 3:16). Como los receptores agradecidos del amor sacrificial, debemos amar sacrificadamente.

El amor de Cristo lo mantuvo *involucrado* con la gente. No tenía miedo de estar en contacto con los que necesitaban el amor de sus palabras y su toque. Asistió a bodas (Juan 2); aceptó invitaciones a los banquetes de cobradores de impuestos y pecadores (Mat. 9:9-12); hasta lo catalogaron como "amigo de publicanos y de pecadores" (Mat. 11:19). Se mezclaba con las multitudes, vivía con sus discípulos, asistía a las fiestas patrias y pasaba tiempo en el templo y la sinagoga. Aunque algunas veces se tomaba el tiempo para estar solo en oración y descansar, Jesús era sociable, dándose a la gente. Para seguir su ejemplo, tenemos que invertir nuestra vida en nuestros semejantes aun cuando preferiríamos que no nos molestaran. Esto puede significar salir de vez en cuando con los compañeros después del trabajo a fin de fomentar su amistad. Puede significar detenerse a hablar con los vecinos, formar parte de un equipo deportivo mixto con el cónyuge, o tomar algún cursillo de capacitación para adultos. Cuandoquiera que nos involucramos con las personas con el fin de cultivar su amistad, alentarlas y compartir con ellas las buenas nuevas de salvación, estamos amando como amó Cristo.

El amor de Cristo también era *firme*. No estaba expresando falta de amor cuando reprendió a los fariseos por su hipocresía, advirtiéndoles: "¡Ay de vosotros, escribas y fariseos, hipócritas!... ¡Ay de vosotros, guías de ciegos!... ¡Serpientes! ¡Generación de víboras!" (Mat. 23:13, 16, 33). Ni le faltaba amor cuando advirtió a las gentes sobre las llamas del infierno (Mat. 5:22; 18:8). Como ya lo hemos hecho notar, amar significa proteger a los que son objetos de nuestro amor y proveerles lo que es para su bien, aun cuando tenemos que confrontarles cariñosamente con su pecado con la esperanza de ahorrarles las dolorosas consecuencias. Jesús manifestó firmeza en su amor cuando expulsó del templo a latigazos a los cambistas (Juan 2:14-16). El amor no tiene que ser necesariamente blando para ser bondadoso, "Porque el Señor disciplina al que ama y castiga a todo el que recibe como hijo" (Heb. 12:6). Está usted siguiendo el ejemplo del "amor duro" de Cristo cuando su conciencia le hace oponerse a una enseñanza en el aula de su hijo que viola los principios bíblicos, cuando prohíbe usted a sus hijos ver películas que sabe afectarán negativamente su moralidad o cuando pone en tela de juicio un reglamento deshonesto o injusto en la empresa donde trabaja. No es amor dejar que los que nos rodean se aparten de los caminos de Dios sin una advertencia porque simplemente no queremos ser impopulares.

Un modelo que vale la pena seguir

El amor de Cristo, hermoso como es, es más que una obra de arte que podemos apreciar y alabar. El amor de Cristo no es principalmente estético sino redentor y ético. No es meramente un cuadro para contemplar sino un modelo para imitar. Su amor de poco nos sirve a menos que lo pongamos en práctica. Jesús es el ejemplo de lo que debe ser la responsabilidad del creyente de amar a Dios y a los demás.

La "marca de fábrica" del cristianismo es el amor. Jesús anunció: "En esto conocerán todos que sois mis discípulos, si tenéis amor los unos por los otros" (Juan 13:35). Y sin tapujos se señaló a sí mismo como el ejemplo de lo que debe ser nuestro amor hacia nuestros semejantes: "Este es mi mandamiento: que os améis los unos a los otros, como yo os he amado" (Juan 15:12). Pablo lo subrayó cuando él escribió: "andad en amor, como Cristo también nos amó y se entregó a sí mismo por nosotros" (Ef. 5:2). A los maridos les dijo: "Amad a vuestras esposas, así como también Cristo amó a la iglesia y se entregó a sí mismo por ella" (Ef. 5:25). No basta apreciar el ejemplo; tenemos que seguirlo.

El amor del cristiano debe ser sacrificial como fue sacrificial el amor de Cristo. Entregó su vida por nosotros a un costo personal muy grande; nosotros debemos entregar nuestra vida a otros aun cuando nos cueste (Juan 15:13). El amor del cristiano debe ser perdonador como fue perdonador el amor de Cristo. Así como Jesús perdonó a los que lo clavaron en la cruz, debemos amar a nuestros enemigos y orar por los que nos persiguen (Mat. 5:44). Al morir, la oración de Esteban por los que le habían apedreado fue similar a la oración de Jesús: "¡Señor, no les tomes en cuenta este pecado!" (Hech. 7:60). Pablo exhortó: "Bendecid a los que os persiguen; bendecid y no maldigáis... No paguéis a nadie mal por mal... si tu enemigo tiene hambre, dale de comer; y si tiene sed, dale de beber... No seas vencido por el mal, sino vence el mal con el bien" (Rom. 12:14, 17, 20, 21). Si no puede usted perdonar a quienes le hicieron un mal, no está amando como Cristo amó.

El amor del cristiano tiene que ser firme como fue firme el amor de Cristo. Los padres tienen que amar a sus hijos, criándolos "en la disciplina y la instrucción del Señor" (Ef. 6:4). La realidad es que no disciplinar equivale a no amar. Salomón escribió: "El que detiene el castigo aborrece a su hijo, pero el que lo ama se esmera en corregirlo" (Prov. 13:24). Recuerde: El amor no se trata de dar a los demás lo que *quieren* sino de darles lo que *necesitan*. Fue el amor firme lo que motivó a Jesús a reprender a Pedro: "¡Quítate de delante de mí, Satanás! Me eres tropiezo, porque no piensas en las cosas de Dios, sino en las de los hombres" (Mat. 16:23). Y fue el amor firme lo que movió a los cristianos en Corinto a expulsar a un miembro inmoral (1 Cor. 5:5) porque "un poco de levadura leuda toda la masa" (v. 6).

El amor es perdonador y firme. El amor no es ingenuo ni sentimental; es realista y fuerte. Seguir el ejemplo del amor de Cristo le habilitará para ser la persona de relevancia e influencia en su mundo al igual que un conducto de consuelo y aliento.

Un poder digno de recibir

El capítulo del amor, 1 Corintios 13, es el pasaje que con mayor elocuencia resume el amor de Cristo. Podemos captar la hermosura de la manera altruista de amar de Cristo cuando sustituimos su nombre por la palabra amor en estos versículos, porque Dios es amor y Cristo es el amor de Dios encarnado.

Si yo hablo en lenguas de hombres y de ángeles, pero no tengo a Cristo, vengo a ser como bronce que resuena o un címbalo que retiñe. Si tengo profecía y entiendo todos los misterios y todo conocimiento; y si tengo toda la fe, de tal manera que traslade los montes, pero no tengo a Cristo, nada soy. Si reparto todos mis bienes, y si entrego mi cuerpo para ser quemado, pero no tengo a Cristo, de nada me sirve.

Cristo tiene paciencia y es bondadoso. Cristo no es celoso. Cristo no es ostentoso, ni se hace arrogante. No es indecoroso, ni busca lo suyo propio. No se irrita, ni lleva cuentas del mal. No se goza de la injusticia, sino que se regocija con la verdad. Todo lo sufre, todo lo cree, todo lo espera, todo lo soporta. Cristo nunca deja de ser.

El valor de la manera de amar de Cristo es inestimable. La ley explicó detalladamente lo que significa amar; Cristo *lo puso en práctica*. La ley *dio una definición* del amor; Cristo *dio una demostración* del amor. El significado del amor —el amor de Dios— no puede manifestarse más perfectamente que en una vida de perfecto amor. La vida de amor de Cristo cumplió con lo que la ley requería. Pablo escribió: "Porque Dios hizo lo que era imposible para la ley, por cuanto ella era débil por la carne: Habiendo enviado a su propio Hijo en semejanza de carne de pecado y a causa del pecado, condenó al pecado en la carne; para que la justa exigencia de la ley fuese cumplida en nosotros que no andamos conforme a la carne, sino conforme al Espíritu" (Rom. 8:3, 4). Cristo cumplió la ley en nuestro lugar, y también cumple la ley en nosotros. Fue la primera persona en poner en práctica a la perfección las demandas del amor, y nos transferirá ese poder a nosotros por el Espíritu Santo, porque "el fruto del Espíritu es: amor" (Gál. 5:22).

Es muy claro que el valor del amor puesto en práctica en la carne es mayor que el amor explicado en la ley. La ley nos puede decir lo que el amor debiera ser, pero no lo puede demostrar. Pero Cristo sí pudo demostrarlo. Cumplió todas las demandas de la ley del amor. Y por su Espíritu provee de este amor a todos los que estén dispuestos a recibirlo. Si está usted dispuesto a morir al yo y permitir que el amor de Dios fluya a través de usted y alcance a otros, recibirá usted el poder para amar como Cristo amó. Podrá decir con Pablo: "Con Cristo he sido juntamente crucificado; y ya no vivo yo, sino que Cristo vive en mí. Lo que ahora vivo en la carne, lo vivo por la fe en el Hijo de Dios, quien me amó y se entregó a sí mismo por mí" (Gál. 2:20).

Cristo es el amor perfecto de Dios personificado, y Cristo vive en usted. A fin de captar la importancia del amor de Dios obrando en y por medio de su vida, escriba su nombre en los siguientes espacios en blanco. Luego léase varias veces y en voz alta esta paráfrasis de 1 Corintios 13.

_____ tiene paciencia; _____ es bondadoso. _____ no es celoso. _____no es ostentoso. _____ no se hace arrogante. _____ no es indecoroso; _____ no busca lo suyo propio. _____ no se irrita. _____ no lleva cuentas del mal. _____ no se goza de la injusticia. _____ se regocija con la verdad. _____ todo lo sufre, todo lo cree, todo lo espera, todo lo soporta. El amor de _____ nunca deja de ser.

El amor de Cristo es más que un ejemplo para nuestra vida; es la propia posibilidad y el poder que nos capacita para vivir una vida de perfecto amor. Juan dijo: "Y todo aquel que ama ha nacido de Dios y conoce a Dios" (1 Jn. 4:7). Nadie puede amar auténticamente a menos que conozca a Dios. Pero si usted conoce a Dios y está lleno de su poder, la vida de amor que él le exige es una posibilidad que muy bien puede llegar a ser una realidad.

Preguntas difíciles y respuestas sin rodeos sobre el modelo del amor de Cristo

¿Cómo se puede decir que Cristo amó a los cambistas cuando trastornó sus mesas y los corrió del templo a latigazos? ¿Cómo puede caber la ira dentro del mandamiento de amar?

Como ya hemos comentado, a veces el amor tiene que ser firme. La manifestación de enojo de Cristo en el templo es un ejemplo del amor firme en acción. Su amor por el Padre no le dejaba pasar por alto semejante falta de respeto a Dios en el templo. Tampoco su amor por las personas lo dejaba tolerar su desobediencia. Su ira no estaba motivada por el odio por los cambistas sino por su amor a Dios y a la gente. Es similar a cómo reaccionaría usted si fuera un cirujano y alguien entrara en el quirófano sin haberse lavado y desinfectado debidamente. Usted inmediatamente y quizá con severidad correría a esa persona para protegerla de los gérmenes. O si descubriera usted a alguien robando a un pobre o explotando a una viuda de escasos recursos, buscaría ayudar a las víctimas.

Amar no significa que uno tiene que hacer o decir únicamente lo que agrada a los demás. El amor quiere y obra para bien de la persona amada aun cuando el bien pueda ser difícil de aceptar. Usted somete a su hijo al dolor de una vacuna o una operación que necesita porque lo ama tanto que no quiere que enferme. Usted reprende a un empleado perezoso porque lo ama lo suficiente como para no dejarle que lo despidan por haragán. En el centro de estas acciones difíciles está el compromiso de lograr lo mejor para aquellos que usted ama. Como lo demostrara Jesús, aun la ira puede ser una expresión de amor cuando el origen de esa ira es el anhelo de hacer lo que es para bien de los involucrados

12

El amor en conflicto

Dios es amor y el amor es de Dios. Así que en Dios no hay conflictos de amor. Existe una armonía perfecta entre Dios el Padre —el Gran Amante— y su Hijo amado y el Espíritu de amor. Pero en la tierra es distinto. Las diversas obligaciones del amor a veces chocan aun entre los más resueltos a amar como Cristo amó. Los deberes del amor se superponen y las obligaciones chocan, causando tensión. A veces dos o más mandamientos chocan entre sí. ¿Cómo nos decidimos entre ellos? A veces ninguna de las opciones que tenemos parecen ser manifestaciones de amor. ¿A dónde recurrimos en busca de respuestas? Estos dilemas son una prueba para nuestra decisión de amar.

El pueblo de Dios en la Biblia muchas veces tuvo que enfrentar dilemas éticos en los que la opción de amor era difícil de discernir. Por ejemplo:

* Está mal que el patriarca Abraham mate a su hijo, y está mal que desobedezca a Dios. ¿Cómo decide qué hacer cuando Dios le instruye que ofrezca a Isaac como un sacrificio humano? (Vea Génesis 22.)

* Dios ordena que se obedezca al faraón de Egipto, pero el faraón ordena la matanza de los inocentes niños hebreos. ¿Cómo deciden las parteras lo que harán? (Vea Exo. 1.)

141

* La Biblia prohíbe la mentira, pero los espías de Israel serán muertos si Rajab dice la verdad y revela su escondite a los soldados que los buscan. ¿Qué debe hacer ella? (Vea Josué 2.)

* La reina ordena que todos los profetas de Dios sean ajusticiados. Pero Abdías se opone a la orden y esconde a cien de ellos. ¿La acción de Abdías es una acción de amor? (Vea 1 Reyes 18.)

* Abraham teme por la seguridad de su esposa, así que le dice al rey que es su hermana. ¿Es una acción de amor la mentira de Abraham? (Vea Génesis 20.)

* Dios prohíbe el homicidio. Pero el rey Saúl es herido mortalmente y ordena a su escudero que le dé el golpe de gracia. ¿Hizo el siervo lo correcto al matar a su rey? (Vea 1 Samuel 31.)

Estas situaciones pueden parecer distantes y ajenas a las experiencias contemporáneas. Después de todo, sacrificios, monarquías en guerra y muchas costumbres bastante primitivas no forman parte de nuestro contexto social. Pero tenemos que hacer frente a nuestras propias vivencias resultantes de los conflictos del amor que no son menos ambiguas y desafiantes que las de la antigua Israel. Por ejemplo, ¿cómo decide usted cuál es la acción motivada por el amor cuando:

* los mandamientos dicen: "no cometerás homicidio", pero su gobierno lo manda a la guerra a matar en defensa de la patria?

* los padres de un jovencito cristiano le prohíben servir a Dios y asociarse con otros creyentes?

* su esposa sufre graves complicaciones durante un parto y está al borde de la muerte, y usted tiene que elegir entre salvar la vida de ella o salvar la vida de su bebé?

* un compañero de trabajo le hace jurar que guardará el secreto que le está por contar y luego confiesa que está sustrayendo dinero de la empresa?

* su abuelo nonagenario, que sufre continuos y terribles dolores por una enfermedad mortal, le ruega que le alcance bastantes píldoras para "poder descansar en los brazos de Jesús y en dulce paz"?

* un hombre fuera de sí por efecto de las drogas entra en el restaurante donde usted está comiendo con sus padres, cónyuge e hijos y empieza a disparar tiros frenéticamente, y usted puede o matarlo o lanzarse delante de la línea de fuego para poder salvar a otros?

Estos ejemplos son apenas una muestra de la multitud de dilemas éticos que prueban nuestra comprensión y nuestro compromiso de amar. En muchas situaciones como éstas, la opción amante no es siempre obvia. ¿Cómo podemos decidir qué hacer?

Callejones sin salida para resolver los conflictos del amor

Hay creyentes que sugieren distintas maneras de hacer frente a la cuestión de los conflictos del amor. Las siguientes respuestas parecieran ofrecer un camino claro a una solución bíblica, pero terminan siendo callejones sin salida en el esfuerzo por poner en práctica el amor en la vida real.

Existe una sola obligación absoluta de amar, por lo tanto no hay conflictos. Esta manera de pensar afirma que se requieren dos absolutos para obtener un conflicto absoluto. Pero como existe una sola obligación absoluta de amar, todos los conflictos son aparentes, no reales. En cada situación hay una sola obligación absoluta: Hacer lo que sea de la manera más amorosa posible.

Esta es una forma de pensar libre de la carga de los numerosos mandamientos éticos que frecuentemente parecen chocar entre sí. También preserva la naturaleza absoluta del amor y llama al creyente a sencillamente responder de la manera más piadosa o amante. Y se aplica ampliamente. La regla general es amar, pero el significado particular del amor será determinado por la situación específica.

Sin embargo, esta forma de pensar queda corta al tratar de ayudar en casos de dilemas éticos. Primero, no es que haya únicamente una obligación absoluta de amar. Hay por lo menos dos: amar a Dios y amar al prójimo. Como lo descubriera Abraham cuando tuvo que decidir entre Dios y su hijo Isaac, las dos a veces chocan. Y no basta con decir que amar a Dios es un absoluto y que amar al prójimo no lo es. Ambos son mandamientos de Dios.

Además, la ética del absoluto-singular es demasiado general para ser trascendente. El pedirnos que hagamos lo que sea más amoroso posible, sin decirnos lo que esto es nos deja en un dilema. Sin los mandamientos y el ejemplo de Cristo, el cristiano no sabría cuáles son realmente las obligaciones absolutas del amor, y menos todavía podría llevarlas a la práctica. Quedamos supeditados a nuestra propia intuición y suposiciones subjetivas.

Otra forma de pensar que es un callejón sin salida dice: *Los conflictos morales son dilemas falsos porque Dios da una salida, una tercera alternativa.* Los cristianos que piensan de esta manera aseguran que Dios es fiel a quienes son fieles a su ley, y que en un aparente conflicto siempre "dará la salida, para que podáis resistir" (1 Cor. 10:13). Dios intervino y salvó a Abraham de matar a Isaac, y hará lo mismo con todo aquel que es fiel a sus mandamientos.

Los proponentes de este concepto citan incidentes como el siguiente de la Segunda Guerra Mundial para dar pruebas de que Dios da una salida a los dilemas morales cuando uno se compromete a obedecer sus mandamientos. Unos soldados alemanes entraron sorpresivamente en la casa de una familia que había escondido a judíos debajo del piso de madera. "¿Están amparando a judíos en esta casa?", preguntaron los soldados. Un niño a quien le habían enseñado que nunca debía mentir contestó: "Sí, señor, están abajo de la mesa de la cocina." Pero en lugar de buscar una puerta falsa en el piso, los soldados rieron y dijeron: "Eso es ridículo. Podemos ver muy bien que no hay nadie debajo de la mesa." Se retiraron y los judíos fueron salvados milagrosamente aunque el muchachito descubriera su escondite. "Dios proveyó una salida para los judíos y sus protectores cuando se dijo la verdad", dicen algunos, "y hará lo mismo para nosotros."

Este concepto tiene cierto mérito porque mantiene sin vueltas que en la Biblia hay muchos mandamientos absolutos de amar, no sólo una norma prácticamente inútil e irrelevante. La presuposición es que, si Dios dio dos mandamientos supuestamente conflictivos, espera que cumplamos ambos, y él se encargará de ver que lo podamos hacer sin pecar.

Pero ¿son todos los conflictos morales meramente aparentes y no reales? ¿Existe siempre una tercera salida para cada dilema? La evidencia dice que no. Abraham no tuvo que matar a su hijo, pero su intención fue hacerlo, y Jesús enseñó que la moralidad es cuestión de intención (Mat. 5:21, 22, 27, 28). Las parteras hebreas salvaron la vida de los recién nacidos, pero para hacerlo tuvieron que desobedecer al gobierno. Los padres de Moisés escondieron a su bebé varón en lugar de entregarlo al verdugo como era la ley. Dios no los condenó por su desobediencia sino que los alabó por su fe (Heb. 11:23).

Además, este concepto presupone que todos los mandamientos tienen la misma fuerza. Pero no es así. El amor a Dios "es el grande y el primer mandamiento" (Mat. 22:38). El segundo mandamiento, de amar al prójimo, es *semejante* al primero pero no es *igual* a él (v. 39).

Se presentan ocasiones cuando el amor a Dios choca con el amor al prójimo y, en dichas ocasiones, el amor a Dios tiene prioridad. Si y cuando Dios milagrosamente provee una manera de acomodar a ambas, le estamos agradecidos. Pero la historia revela que Dios no siempre responde de esa manera. El pueblo de Dios muchas veces ha tenido que escoger obedecer a Dios antes que a los hombres, y Dios ha dado su aprobación a esas decisiones.

Otra manera infructuosa de pensar declara: *Cuando no podemos evitar quebrantar un mandamiento para obedecer a otro, tenemos* que sencillamente escoger el menor de los dos males. Este concepto nos insta a siempre elegir la opción más amorosa posible al enfrentar un conflicto moral. Es claro que cuando quebrantamos uno de los mandamientos de Dios bajo cualquier circunstancia, somos culpables de pecado. La providencia de Dios no siempre suple una manera de evitar pecar, pero el amor de Dios provee perdón a quienes lo confiesan. Así que es obvio que los apóstoles tenían que confesar su pecado de desobedecer a los gobernantes judíos a fin de obedecer el mandato de Dios de predicar. Y el joven que tiene que elegir entre obedecer a Dios y obedecer a sus padres tiene que obedecer a Dios y a la vez buscar y recibir el perdón de Dios por violar el quinto mandamiento.

Este modo de pensar tiene varios problemas serios. Primero, ¿un Dios omnisciente, que es todo amor, daría por culpable
a alguien por hacer lo inevitable? Si nuestra mejor opción es
el menor de dos males, ¿nos culparía Dios por hacer lo mejor
que podemos? Imposible. Parece inconsistente con la naturaleza de Dios como fuera revelada en las Escrituras dar mandamientos absolutos pero conflictivos y luego declararnos culpables por escoger uno de ellos, aun siendo la mejor opción. La
persona es culpable únicamente si la acción es evitable.

Segundo, aun si la opción correcta en un conflicto moral es
pecado, ¿qué implica en cuanto al hecho de que Cristo no tuvo
pecado? Por ejemplo, Jesús reafirmó el mandamiento de honrar a padre y madre (Mat. 15:4; 19:19). Pero en al menos una
ocasión, Jesús hizo esperar a su madre porque estaba ocupado sirviendo a otras personas (Mat. 12:46-49). Y a fin de obedecer al Padre y ofrecer su vida en sacrificio por el pecado, Jesús tuvo que dejar a su madre bajo el cuidado de otros (Juan
19:25-27). En situaciones como éstas y quizá muchas más, Jesús desobedeció el menor de los dos o más mandamientos en
conflicto. Al hacerlo, o era culpable de pecado —lo cual las Escrituras firmemente niegan (Heb. 4:15)— o no hay situaciones
donde haya un bien menor. Siempre hay un bien posible positivo en cada opción moral, y optando por el bien mayor trasciende cualquier obligación hacia el bien menor.

Tercero, dado que Dios nos llama a ser obedientes y santos, ¿por qué nos pondría en una situación donde todas las opciones son malas? No tiene sentido decir que estamos obligados a hacer el mal menor. Esto significaría que está bien hacer
lo malo, está bien pecar, lo cual no es bíblico.

Siempre optemos por el bien mayor

El amor nunca se enreda en las astas de un dilema. Existen distintos niveles y esferas de amor, y uno es siempre más
alto que otro. Cada mandamiento de amor es absoluto *en su*
propia área. Pero cuando esa área se superpone a otra, entonces la responsabilidad menor de amar debe subordinarse a la
mayor. Por ejemplo, cuando las dos chocan, la obligación a
Dios tiene prioridad sobre la obligación hacia los hombres, lo
cual Abraham demostró con su hijo Isaac. Las parteras hebreas obedecieron a la obligación mayor de salvar vidas antes

que la menor de decir la verdad al rey que buscaba matar a los bebés.

Cada uno de los mandamientos absolutos de la Biblia es obligatorio en la relación que especifica. El adulterio siempre es malo como tal. El homicidio nunca es bueno en sí mismo. Mentir es universalmente malo como tal. Sin embargo, cuando una o más de estas relaciones, que son malas en sí mismas, se superponen a otras, nuestra obligación a la menor puede ser suspendida en vista de nuestra responsabilidad hacia la mayor. Por ejemplo, si usted se despierta y se encuentra con un ladrón empuñando un cuchillo en su dormitorio, la prohibición contra matar queda suspendida a favor de la obligación de proteger a su esposa e hijos. No hay *excepciones* a los mandamientos absolutos, pero hay algunas *exenciones* en vista de prioridades mayores de amar. Siempre hay un bien mayor.

Además, porque Dios nos ha dado tantas leyes definiendo la naturaleza y las áreas del amor, podemos saber de antemano lo que tenemos que hacer en una situación dada. Esto coloca a la ética cristiana del amor en oposición directa con la ética situacional. La ética situacional sostiene que la situación determina la acción amante a realizar. La ética de amor dada por Dios prescribe de antemano lo que se debe hacer en cada situación aun cuando los mandamientos chocan. Siempre tenemos que optar por el bien mayor.

Las Escrituras muestran claramente el hecho de que hay bienes mayores y menores. Jesús habló de "lo más importante de la ley" (Mat. 23:23). La justicia y misericordia tienen más peso que el diezmo en la escala de valores de Dios aunque la ley exigía que se pusieran en práctica ambas (Mat. 23:23). Ayudar al que sufría necesidad, como ser el "trabajo" de dar de comer al hambriento y sanar al enfermo, era más importante para Jesús que no guardar el sábado (Mat. 12:1-5).

Los dos grandes mandamientos de Jesús revelan un bien mayor y un bien menor. El amor a Dios es un bien mayor que el amor al prójimo (Mat. 10:37). Nuestro amor a Dios puede llevarnos a desobedecer al gobierno si éste ordena pecar, pero el amor a la patria bajo ninguna circunstancia debe llevarnos a desobedecer a Dios. El amor por la familia es un bien mayor que el amor por los extraños (1 Tim. 5:8). Ayudar a los creyentes es un bien mayor que ayudar a inconversos (Gál. 6:10). En el próximo capítulo trataremos más detalladamente el orden jerárquico de los bienes mayores y menores.

Todo el concepto de recompensas está basado en la premisa de que algunas actividades son mejores que otras. En la parábola de Jesús sobre los diez siervos, al que actuó muy bien se le dio autoridad sobre diez ciudades; al que no actuó tan bien se le dio autoridad sobre cinco ciudades (Lucas 19:12-26). Pablo escribió a los creyentes: "Porque es necesario que todos nosotros comparezcamos ante el tribunal de Cristo, para que cada uno reciba según lo que haya hecho por medio del cuerpo, sea bueno o malo" (2 Cor. 5:10). Algunos recibirán una corona y otros no (Apoc. 3:11). La obra de algunos probará ser "oro, plata, piedras preciosas" mientras que la de otros será como "madera, heno u hojarasca" (1 Cor. 3:12). Cada día se nos presentan oportunidades en las cuales podemos escoger bienes mayores o menores por los cuales recibiremos recompensas mayores o menores.

Así como hay bienes mayores y menores hay también maldades mayores y menores. Todos los pecados son pecado, pero no todos los pecados son de igual pecaminosidad. Santiago escribió: "Porque cualquiera que guarda toda la ley pero ofende en un solo punto se ha hecho culpable de todo" (Stg. 2:10). Se refería a la unidad de la ley, no a la igualdad del pecado. Santiago reconoció bienes mayores y menores cuando sugirió que los maestros de la Palabra tienen más responsabilidad que los que no lo son (Stg. 3:1). Jesús enseñó que pensar pensamientos adúlteros era también pecado, tal como lo era cometer el acto de adulterio. Pero el acto es un mal mayor que el pensamiento porque el acto impacta negativamente a más personas que el pensamiento.

Así que hay grados de bien y grados de maldad. Algunos actos son mejores y algunos son peores que otros. Jesús habló de un "mayor pecado" (Juan 19:11). El bien y el mal ocupan distintos niveles en una pirámide con lo mejor en la cúspide y lo peor en la base, y diversos grados de bien y mal entre medio. Algunos actos inmorales solos son más atroces que otros actos inmorales numerosos. Por ejemplo un homicidio brutal puede ser más malo que muchas mentiritas blancas. Por lo tanto, cuando nos encontramos frente a un conflicto entre dos alternativas o entre el bien y el mal, el rumbo moralmente correcto a tomar es siempre el bien mayor o la respuesta más amante. Tanto así que optar por algo que es menor que el bien mayor puede ser malo. Por ejemplo, si un hombre rescata a dos personas de ahogarse pero le hubiera sido igual rescatar a cinco, el bien que hizo está manchado por el pecado. Santiago declaró: "Por tanto, al que sabe hacer lo bueno y no lo hace, eso le es pecado" (Stg. 4:17).

Por lo tanto, ya que los actos morales tienen diferentes valores, el cristiano tiene que pesar las alternativas de amar a fin de elegir el bien mayor o la respuesta más amante. Esto es difícil, pero no imposible, cuando sabemos la escala divina de valores que encontramos en la Biblia.

La base para determinar los bienes mayores y menores es el mayor de todos los bienes: Dios. Pero como no podemos preguntarle a Dios directamente, tenemos que encontrar el bien absoluto en su ley o su Hijo, que nos son presentados en la Biblia. La Palabra de Dios es el criterio para medir los bienes mayores y menores. El valor de una acción, entonces, es determinado por cuánto se parece a Cristo o cuán piadoso es. Y las prioridades éticas son determinadas por lo cerca o lejos que están del amor absoluto tal como lo encontramos en la ley de Dios y en la vida de Cristo. Cuanto más una acción se parece a Cristo, mayor es el bien; cuanto más se parece al amor perfecto de Dios, más amante es.

Esto señala una diferencia grande entre la ética absoluta del amor y otras muchas éticas contemporáneas. La ética cristiana es determinada por las reglas *reveladas*, no por los resultados *esperados*. En muchos círculos es común determinar lo que es éticamente correcto conjeturando lo que a la larga resultará en un mayor bien para la mayor cantidad de personas. Este concepto, llamado utilitarismo, se originó con el filósofo Jeremy Bentham y fue pregonado por John Stuart Mill a principios del Siglo XIX. Suena bien, pero las diferencias entre el método utilitarista y el método cristiano para determinar el bien son cruciales.

Primero, el utilitarista enfoca los resultados deseados y planifica según ellos su respuesta. El cristiano enfoca la respuesta más amorosa según la revelación de las reglas y principios de las Escrituras y deja los resultados de largo alcance a Dios. No determinamos la regla según los resultados; los mejores resultados posibles ocurrirán cuando guardamos las reglas que Dios ya ha establecido.

Segundo, las reglas de Dios para determinar el bien mayor son absolutas; las reglas utilitaristas son generalizaciones basadas en experiencias pasadas que produjeron los mejores resultados. Los principios éticos cristianos se fundamentan en la naturaleza y voluntad de Dios, así que son universalmente aplicables y absolutamente obligatorias. Las reglas utilitaristas están sujetas a excepciones no especificadas que justifican los resultados.

Tercero, para el utilitarista, la acción es buena únicamente si tiene buenas consecuencias. Para el cristiano, una acción es buena simplemente si cumple con los mandamientos de Dios independientemente de las consecuencias. Por ejemplo, si alguien fracasa en sus mejores intentos por rescatar a una persona que se ahoga, el utilitarista diría que no fue una buena acción porque fracasó. Para el cristiano, el intento amoroso de hacer lo amante es bueno resulte o no en un rescate.

El cristiano tiene varias ventajas sobre el utilitarista. No determinamos nosotros lo que es bueno y lo que es malo; Dios ya lo ha hecho y revelado en su Palabra. Nosotros decidimos únicamente qué pensamiento o acción concuerda con lo que Dios ha revelado como bueno. Es más, no tenemos que descifrar nosotros la acción amante que realizar en una situación conflictiva. Dios ya ha revelado en las Escrituras las prioridades del amor. Por último, no tenemos que estar adivinando los resultados de largo alcance basados en la experiencia humana para determinar el mejor rumbo a tomar. Sencillamente tomamos el rumbo que Dios ha revelado y dejamos que él se encargue de los resultados que a la larga habrá.

Hagamos nuestra parte

La ética cristiana del amor no es un programa de computadora que da respuestas automáticas para los conflictos del amor sin luchas o decisiones de nuestra parte. Por el contrario, optar consecuentemente por el bien mayor y la respuesta más amante requiere verdadera dedicación y esfuerzo. Debemos llenar nuestra mente y corazón con las Escrituras a fin de conocer la naturaleza amante de Dios, sus leyes y la vida ejemplar de su Hijo. Jesús acusó a los religiosos de su época: "Erráis porque no conocéis las Escrituras, ni tampoco el poder de Dios" (Mat. 22:29). Cuanto más nos apropiamos de la Palabra de Dios, mejor preparados estaremos para discernir cuáles son las opciones correctas en situaciones conflictivas.

Además, debemos, en oración, empeñarnos directamente en pesar las alternativas para descubrir el rumbo a tomar que mejor coincida con los mandatos bíblicos. Esta no es una tarea que le podemos pasar a nuestros padres, al líder del estudio bíblico o al pastor. La decisión es de cada uno, así que tenemos nosotros mismos que considerar las opciones y buscar la dirección de Dios en las Escrituras y en oración. Luego tenemos que llevar a cabo lo que decidimos. Meramente saber lo bueno que debemos hacer no basta; tenemos que dar los pasos necesarios para tomar la ética y transformarla en acción.

¿Cuál es el papel del Espíritu Santo en este proceso? El Espíritu Santo es quien nos revela la verdad y nos capacita para ponerla en práctica (Juan 16:13). Sin los principios revelados por el Espíritu Santo en los cuales basar las acciones y una motivación llena del poder del Espíritu para llevar a cabo lo que es correcto no puede haber ética cristiana. Sabemos que el Espíritu de Dios no nos apartará o nos pondrá en conflicto con la Palabra de Dios. La verdad que Dios revela por su Espíritu es la verdad que contiene las Escrituras. La Biblia es suficiente para nuestra fe y práctica; es la revelación completa del amor absoluto de Dios (2 Tim. 3:16, 17). No existen situaciones morales que tengamos que enfrentar para las cuales no haya principios en la Palabra de Dios. El papel del Espíritu Santo es iluminarnos la verdad de Dios a fin de que podamos tomar las decisiones correctas. Lo hace haciéndonos recordar algún principio bíblico que quizá hemos olvidado, guiándonos a un principio que todavía no hemos descubierto o dándonos una nueva perspectiva de los principios que ya estamos poniendo en práctica.

Pero en todos estos casos, el Espíritu Santo nos guía hacia la Biblia para dar con las respuestas. En ningún caso debemos buscar más allá o fuera de lo que está escrito en la Palabra de Dios. Es la manera como Dios nos ayuda a discernir y a hacer el bien mayor, más amante, aun en las situaciones más difíciles.

Preguntas difíciles y respuestas sin rodeos sobre los conflictos del amor

¿Qué del poder milagroso de Dios? ¿No podemos confiar en que Dios intervenga en las situaciones cuando surgen conflictos de amor?

Dios es poderoso y todo amor, pero no es nuestro "genio" personal encerrado en una botella esperando solucionarnos cada problema o dilema moral. Contamos con la presencia de Dios con nosotros siempre (Mat. 28:20), pero en ningún lugar de las Escrituras se nos promete que Dios siempre intervendrá para salvarnos de los conflictos morales. Sadrac, Mesac y Abed-nego lo entendían, como lo demuestra lo que le dijeron al rey Nabucodonosor: "Nuestro Dios, a quien rendimos culto, puede librarnos del horno de fuego ardiendo, y de tu mano, oh rey, nos librará. Y si no, que sea de tu conocimiento, oh rey, que no hemos de rendir culto a tu dios ni tampoco hemos de dar homenaje a la estatua que has levantado" (Dan. 3:17, 18).

Esperar un milagro cada vez que nos vemos en aprietos desplaza la responsabilidad de tomar decisiones correctas y hacer lo correcto de nosotros a Dios, lo cual él no quiere. Es una mentalidad que sugiere: "En cualquier momento que estás en un apuro, remíteselo a Dios." Tenemos su Palabra para dirigirnos y su Espíritu nos anima y nos consuela. Estos son milagros en sí mismos, y están a nuestra disposición en todo momento. Nunca debemos basar una decisión en la posibilidad de que Dios haga un milagro espectacular en el futuro. Esto equivale a poner a prueba a Dios, lo cual nunca debemos hacer (Mat. 4:7). Más bien hemos de utilizar los recursos que él ya ha dado y confiar en su presencia al ir resolviendo las dificultades y los dilemas de la vida.

13

Escala de valores para resolver los conflictos del amor

Cuando los diversos niveles del amor se superponen o chocan, la Palabra de Dios nos llama a cumplir la obligación del amor mayor. Para cada una de las situaciones conflictivas existen uno o más principios bíblicos que indican cuál es el bien mayor. Estos principios se manifiestan cuando la luz del amor inmutable de Dios pasa por el cristal de la experiencia humana, despidiendo un espectro u orden de la escala de valores de Dios. Consideraremos varios principios generales de la escala de valores en este capítulo y una categoría más especializada de ella en el próximo.

¿Seguir mi camino o el camino de Dios?

¿Le resultan familiares algunas de las siguientes escenas?

Suena el reloj despertador, lanzándolo a la lucha de cada madrugada. Sabe que debiera levantarse y guardar su cita diaria con Dios. Siempre su día va mejor después de un rato de lectura bíblica y oración. Y si no lo hace temprano, su horario ocupado le impide hacerlo más adelante. Pero la noche anterior tuvieron una reunión de comisión de la iglesia que terminó tarde y realmente está cansado. Quiere descansar un poco más y por esta vez no tener su devocional.

Hace meses que viene ahorrando y por fin tiene suficiente dinero para comprarse el nuevo aparato de televisión y video-casetera que sueña tener. Pero su pastor acaba de anunciar una campaña pro templo. Ha instado a la congregación a hacer un sacrificio financiero para poder alcanzar a otros para Cristo. Se siente impulsado a dar cierta suma al fondo pro templo, pero si lo hace tendrá que esperar todavía más para comprarse sus "juguetes" nuevos.

Ha programado una noche tranquila en casa el viernes en la noche después de una semana muy ajetreada. Lo único que quiere hacer es acurrucarse en el sillón con un buen libro o video y no tener que hablar con nadie. Suena el teléfono, pero usted aparenta no estar en casa y escucha el mensaje que le dejan en el contestador. Es un conocido suyo de la iglesia, afligido por un problema personal. Quiere que usted la llame en cuanto "llegue" a casa. A usted le conmueve el problema de la persona y cree que debería levantar el teléfono y ayudarle. Pero por otro lado no quiere renunciar a la noche tranquila que se había reservado para sí mismo.

¿Cómo reacciona ante situaciones como éstas? Un conflicto principal y frecuente en nuestra vida surge entre el amor a Dios y amor al yo. Su compromiso de amar y servir a Dios puede ser firme, y su compromiso de nutrirse y quererse usted mismo por todas las razones correctas puede ser sano. Pero como los ejemplos anteriores lo ilustran, a veces chocan. Y cuando así sucede, el bien mayor es amar a Dios antes que al yo. Jesús dijo: "Si alguno viene a mí y no aborrece a su padre, madre, mujer, hijos, hermanos, hermanas *y aun su propia vida*, no puede ser mi discípulo" (Luc. 14:26, énfasis agregado). Jesús fue también ejemplo de este principio de valores. Oró en el jardín: "Padre mío, de ser posible, pasa de mí esta copa. Pero, no sea como yo quiero, sino como tú" (Mat. 26:39). Jesús era completamente humano y enteramente Dios. En su humanidad, hubiera querido evitar la muerte dolorosa, vergonzosa, que le esperaba. Pero su amor al Padre sobrepasaba aun su instinto de conservación.

José se vio frente a otra expresión de conflicto entre el amor a Dios y al yo cuando la esposa de Potifar trató de seducirlo. José podía haberse beneficiado mucho cediendo a la tentación: con el favor de la esposa de su dueño, con continuos ascensos como siervo de su casa y la satisfacción de su apetito sexual normal. Pero José respondió: "¿Cómo, pues, haría yo esta gran maldad y pecaría contra Dios?" (Gén. 39:9). No puso sus necesidades y placeres antes que su amor a Dios.

Moisés tuvo la opción de seguir siendo el príncipe mimado en Egipto u obedecer el llamado de Dios de ser el libertador de Israel. Moisés optó por el bien mayor, prefiriendo "recibir maltrato junto con el pueblo de Dios que gozar por un tiempo de los placeres del pecado" (Heb. 11:25).

Pablo exhortó a los creyentes: "Os ruego... que presentéis vuestros cuerpos como sacrificio vivo, santo y agradable a Dios, que es vuestro culto racional" (Rom. 12:1). ¿Significa esto que Dios quiere que dediquemos todo nuestro tiempo, energía y recursos a servirle a él y al prójimo, no dejando nada para nosotros mismos? No. La Biblia también nos exhorta a cuidarnos diligentemente a nosotros mismos para poder cuidar a otros. No obstante, todo lo que somos y tenemos pertenece a Dios. El conoce nuestras necesidades de descanso, recreación, crecimiento y buena salud. Quiere que seamos sanos mental, física, espiritual y socialmente. Pero cuando sus planes chocan con los nuestros, tenemos que decirle que sí a Dios, como lo demuestran los siguientes ejemplos:

Si se siente tentado a apagar el despertador y seguir durmiendo cuando debiera levantarse para su momento con Dios, elija el bien mayor. Levántese y tenga su devocional. Si no dormir bastante es un problema continuo, o váyase a dormir más temprano, tome una siesta en la tarde, o escoja otro horario para su devocional.

Si está convencido de que Dios le está llamando a demorar la compra de sus nuevos "juguetes" y que invierta el dinero en la obra del Señor, escoja el bien mayor. Dios no está en contra de los televisores y videocaseteras como tales, pero su obediencia a Dios demuestra que su amor por él es supremo.

Cuando una oportunidad obviamente ordenada por Dios de ayudar a alguien interrumpe sus planes, escoja el bien mayor. Puede significa dejar a un lado lo que pensaba hacer a fin de suplir la necesidad, o puede significar hacer una cita con la persona, preservando así la necesidad de soledad a la vez que se pone a disposición para ayudarle.

Existe un principio bíblico de valores que gobierna el área de amor a Dios cuando parece estar en oposición al amor al prójimo: *Dios, la persona infinita, es más merecedor del amor que el yo finito.* En un conflicto entre ambos, el último se debe subordinar al primero.

¿Someterse a Dios o a autoridad humana?

El jefe de Carolina entró muy apurado a la oficina diciendo:

—Cuando llamen de Contaduría, dígales que el informe mensual ya fue despachado.

—Pero el informe no ha sido todavía terminado, ¿no es verdad? —dijo Carolina.

—No, pero ellos no tienen por qué saberlo —dijo el jefe—. Si creen que está en camino, dejarán de reclamarlo.

—No puedo hacer eso, señor —contestó Carolina—. Sé que lo están presionando mucho, pero no puedo mentir sobre el informe.

—No es usted la que estará mintiendo, Carolina. Seré yo —argumentó el jefe un poco molesto—. Lo único que tiene que hacer usted es pasar el mensaje.

—Lo siento, señor Gutiérrez, no puedo hacerlo y no lo haré. No es correcto.

El jefe miró fríamente a su asistente:

—¿Se da cuenta, señorita, que su falta de colaboración significará una evaluación mala de su rendimiento?

Carolina bajó la cabeza y murmuró:

—Lo lamento, pero aun así no puedo mentir para cubrirlo a usted. Es algo contrario a todas mis convicciones como cristiana.

El jefe dio media vuelta y salió como una tromba de la oficina sin decir otra palabra.

El amor tiene dos niveles básicos: la responsabilidad vertical de amar a Dios con todo nuestro corazón y nuestra alma y la responsabilidad horizontal de amar a nuestro prójimo como a nosotros mismos. En el caso de un conflicto entre amar a

Dios y amar al prójimo, el amor a Dios tiene prioridad. Jesús ilustró este principio al referirse a los niveles del amor humano que son muy preciados por todos: "El que ama a padre o a madre más que a mí no es digno de mí, y el que ama a hijo o a hija más que a mí no es digno de mí" (Mat. 10:37). Nuestro amor a Dios tiene que ser tan fuerte, que nuestro amor a otros, aun a nuestros seres queridos, puede parecer como odio en comparación (Luc. 14:26). Esto no significa que Dios nos da permiso para odiar a otros. Hemos de amar a nuestros semejantes tanto como nos amamos a nosotros mismos. Pero aun el amor intenso de padres e hijos debe palidecer en comparación con el amor supremo a Dios.

La Biblia abunda en ejemplos de personas que tuvieron que enfrentar conflictos entre las dimensiones verticales y horizontales del amor y escogieron el bien mayor. Abraham amaba más a Dios que a su hijo Isaac, levantando su cuchillo para sacrificar al muchacho antes que Dios finalmente interviniera (Gén. 22). Las parteras hebreas amaban más a Dios de lo que temían al rey, salvando las vidas de los bebés en desobediencia al mandato real (Exo. 1). Daniel amaba más a Dios de lo que reverenciaba al rey Darío, negándose a renunciar a sus oraciones diarias (Dan. 6). Los magos amaban más a Dios que lo que honraban al celoso rey Herodes, guardando silencio sobre la identidad y el lugar donde estaba el Cristo niño (Mat. 2). Los apóstoles amaban más a Dios de lo que estimaban a las autoridades religiosas, negándose a guardar silencio cuando se les mandó que no predicaran (Hech. 4).

Escoger a Dios antes que a las personas —particularmente a las autoridades humanas— no es siempre fácil. Muchos en la Biblia cuyo amor a Dios chocaba con las demandas impías de las autoridades terrenales tuvieron que enfrentar terribles consecuencias. Algunos fueron salvados milagrosamente, pero otros no. En cuanto a los cristianos que se negaban a renunciar a su fe en Cristo, el escritor de Hebreos informó: "Recibieron pruebas de burlas y de azotes, además de cadenas y cárcel. Fueron apedreados, aserrados, puestos a prueba, muertos a espada. Anduvieron de un lado para otro cubiertos de pieles de ovejas y de cabras; pobres, angustiados, maltratados" (11:36, 37). Dios no garantiza una vida libre de problemas para los que anhelan obedecer el gran mandamiento, pero sí promete estar con nosotros en cualquier consecuencia que podamos sufrir por haberle dado el primer lugar (Mat. 28:20).

El principio de valor que se aplica aquí se basa en las leyes de Dios y en el ejemplo de Cristo: *Dios, persona infinita, es más merecedor del amor que las personas finitas.* El amor a Dios y el amor al prójimo por lo general no chocan en la vida. Pero cuando sucede, la expresión más elevada posible es honrar y obedecer a Dios cueste lo que cueste. Por ejemplo, una mujer creyente recibe la orden de su esposo de que "se olvide de Dios y todos esos, los locos evangélicos", el bien mayor es amar a Dios y no tomar en cuenta la demanda del esposo, aun si la firmeza de ella lleva a la separación. La honra de un hijo por sus padres tiene que terminar en el momento que el padre le dice: "Te prohíbo que seas evangélico." Cuando el novio presiona a su novia con un "Si me amas, pruébalo acostándote conmigo", la obligación de amor de amar a Dios es más alto, aun si como consecuencia, el novio rompe con ella. Y el trabajador y empleado cristiano que ama a Dios supremamente no obedecerá a su empleador cuando le ordena que "arregle" los números o que mienta.

¿Decir la verdad o proteger una vida?

Una prima que está bajo tratamiento por una depresión clínica viene a vivir con usted mientras se recupera. A usted le han advertido que ella tiene tendencias suicidas y que una vez amenazó con tomarse una sobredosis de medicamentos. Una noche le dice ella: "No puedo dormir. ¿Tienes pastillas para dormir?" Inmediatamente usted recuerda un frasco casi lleno de un somnífero potente que tiene en el gabinete del baño. Una sobredosis podría ser mortal. Temiendo que su prima después vaya a buscar las pastillas si le dice la verdad, le contesta sin pestañear: "No, nunca guardamos los medicamentos recetados que nos sobran. Siempre los tiramos."

No todos los conflictos involucran opciones claras entre amar a Dios o al prójimo. A veces la opción es entre dos esferas donde funciona el amor humano, como lo ilustra el párrafo anterior. ¿Requiere el amor a su prima que le diga dónde tiene los somníferos o le miente a propósito para protegerla de la tentación de suicidarse? ¿Es mentir con el fin de salvar una vida humana un acto de amor? ¿Está bien mentir para prote-

ger a personas inocentes e indefensas? Usted deja a su hija jovencita sola por varias horas. Le indica: "Si llama por teléfono un extraño, no le digas que no estamos. Diles 'Mis padres
están ocupados en este momento. ¿Quiere que le devuelvan su
llamada en cuanto se desocupen?'" ¿Está mal indicarle a su
hija que engañe a otros a propósito con miras de protegerla de
algún cazador de niñas que están solas en sus casas?

La respuesta depende de cómo definimos la palabra *mentira*. ¿Estamos moralmente obligados a decir y actuar veraz-
mente bajo toda circunstancia? El noveno mandamiento dice:
"No darás falso testimonio contra tu prójimo" (Exo. 20:16).
Proverbios 14:25 dice así: "El testigo veraz libra las vidas,
pero el engañoso respira mentiras." Ananías y Safira cayeron
muertos sin más ni más por haberle mentido al Espíritu Santo (Hech. 5). Pero Rajab mintió a los soldados que buscaban a
los espías israelitas (Jos. 2). Las parteras hebreas le mintie-
ron al rey, diciendo que no podían matar a los recién nacidos
hebreos porque nacían y eran escondidos antes de que ellas
llegaran (Exo. 1). Si es malo mentir, ¿por qué estas personas
no fueron juzgadas por sus transgresiones?

Consideremos a las parteras hebreas. Las Escrituras nos
dicen que porque protegieron vidas inocentes: "Dios favoreció
a las parteras, y el pueblo se multiplicó y se fortaleció muchí-
simo. Y sucedió que, porque las parteras tuvieron temor de
Dios, él también les dio a ellas su propia familia" (Exo. 1:20,
21). Cuesta creer que su mentira no fue una parte esencial de
su amor por los recién nacidos que salvaron para Dios. Digá-
moslo otra vez: ellas eligieron el bien mayor aunque la mentira en sí misma es siempre pecado.

Tomemos a Rajab como otro ejemplo. Aunque mentir es
pecado, Rajab escogió el bien mayor de proteger a los espías.
Hay varias razones para creer que la mentira de Rajab puede
haber sido la mejor alternativa en esa situación conflictiva.
Primero, las Escrituras en ninguna parte la condenan explíci-
tamente. Segundo, Josué ordenó que a ella y su casa les per-
donaran la vida.cuando Jericó fue atacada "porque escondió
a los mensajeros que enviamos" (Jos. 6:17). Su mentira fue un
elemento esencial en esconder a los espías. Así que en efecto
ella debía ser preservada del juicio de Dios sobre Jericó por su
fe en Dios (Jos. 2:9-13). Hebreos 11:31 explica: "Por la fe no
pereció la prostituta Rajab junto con los incrédulos, porque re-

cibió en paz a los espías." Por lo tanto, parece que su mentira fue en realidad una expresión de su fe en Dios. Santiago escribió: "¿No fue justificada la prostituta Rajab por las obras, cuando recibió a los mensajeros y los envió por otro camino?" (2:5). Es fácil ver que la mentira de Rajab le dio la oportunidad de expresar su fe en Dios. Fue elogiada y no fue juzgada por lo que hizo.

Emmanuel Kant estaba tan comprometido con la verdad que declaraba que se negaría a engañar intencionalmente a un criminal a fin de salvar la vida de la posible víctima del criminal. A pesar de ejemplos bíblicos que lo contradicen, muchos cristianos siguen a Kant. Al hacerlo, están diciendo que la obligación de decirle la verdad al culpable es un bien mayor que la obligación de salvar la vida del inocente. No obstante, muchas de estas mismas personas toman todo tipo de precauciones contra los ladrones cuando se ausentan de su casa. De seguro que no está bien engañar a fin de salvar una televisión, un estéreo o joyas pero, ¿está mal engañar a fin de salvar una vida? ¿Qué harían estas personas si un demente con un revólver demandara saber dónde estaban sus seres queridos? ¿Dirían: "No puedo mentir. Mi familia está indefensa y se halla escondida en el ropero"? Es más, ¿deberían los líderes militares, científicos y oficiales del servicio de inteligencia revelar secretos de seguridad nacional porque alguien se los pregunta? De seguro que el derecho a vivir del inocente tiene prioridad sobre el derecho del culpable de contar con una información veraz.

La mentira en sí es siempre mala y nunca justificable o buena en sí. Estamos exentos de obedecer la ley contra la mentira únicamente cuando la anula una obligación mayor. Cuando decir la verdad pone en peligro a una vida inocente, el bien mayor es preservar la vida inocente. Es importante notar que la mentira en este contexto no es una *excepción* a la ley sino meramente una *exención* temporaria basada en la prioridad bíblica de un bien mayor.

El principio en la escala de valores que aquí se aplica es: *Las personas inocentes son más merecedoras de un respeto amoroso que las personas que promueven actividades carentes de amor.* Cuando no hay forma de respetar las demandas de ambos, las vidas inocentes tienen precedencia sobre una información que beneficiaría a los que injustamente las perjudicarían o matarían.

Ame a las personas y use a las cosas

Pocos principios en la escala de valores reciben más énfasis en las Escrituras que éste: *Debemos amar más al ser humano que a los objetos.* Objetos no sólo se refiere a cosas inanimadas y animales sino también a actividades y rituales impersonales, aun actividades religiosas. Cuando el amor a Dios y al prójimo chocan con las posesiones materiales o actividades, el prójimo siempre es más importante que las cosas.

La persona de Dios, por supuesto, es más valiosa que cualquier cosa y todas las cosas en el mundo. Jesús enseñó: "No acumuléis para vosotros tesoros en la tierra, donde la polilla y el óxido corrompen, y donde los ladrones se meten y roban... No podéis servir a Dios y a las riquezas... Más bien, buscad primeramente el reino de Dios y su justicia, y todas estas cosas os serán añadidas" (Mat. 6:19, 24, 33). Dios tiene que ser valorado aun por sobre las necesidades de la vida.

El ser humano creado a la imagen de Dios es también más valioso que las cosas. Jesús dijo: "¿De qué le sirve al hombre ganar el mundo entero y perder su alma?" (Mar. 8:36). Nada en este mundo, ni siquiera las cosas sagradas, es tan valioso como una vida humana. Jesús aprobó la acción de David, quien con sus soldados entró en el templo y comió con ellos el pan consagrado, lo cual era prohibido (Mat. 12:3, 4). Los hombres tenían hambre, y eran ellos más importantes que una ley que les impedía satisfacer su hambre. Los cuatro hombres que hicieron un agujero en un techo para traer a su amigo enfermo a Jesús aparentemente valoraban la vida por sobre las cosas, y Jesús aprobó la fe de ellos (Mar. 2:1-5).

Jesús demostró que una vida humana es más importante que los animales cuando al echar fuera los demonios de un hombre les dio permiso de entrar en un hato de cerdos (Mar. 5:11-13). Dio a entender que las personas son más valiosas que el dinero, aun los diezmos, cuando dijo: "Entregáis el diezmo de la menta, del eneldo y del comino; pero habéis omitido lo más importante de la ley, a saber, el juicio, la misericordia y la fe. Era necesario hacer estas cosas sin omitir aquéllas" (Mat. 23:23). Pablo declaró: "El amor al dinero es raíz de todos los males" (1 Tim. 6:10). No debemos amar a las cosas más que a las personas. Ni siquiera debemos amar a las cosas; debemos usarlas para amar a Dios y a nuestros semejantes.

¿Significa esto que no debemos tener ni querer cosas? ¿Están todos los cristianos sujetos a la orden de Jesús al joven rico: "Anda, vende tus bienes y dalo a los pobres; y tendrás tesoro en el cielo. Y ven; sígueme" (Mat. 19:21)? ¿Es malo tener seguridad financiera o ser rico? No, la Biblia no condena las posesiones o riquezas como tales. La Biblia cuenta de muchos ricos que amaban a Dios: Abraham, David, Salomón, José de Arimatea, Lidia. La Biblia más bien se expresa en contra de la preocupación por el dinero o las posesiones materiales. Primera Timoteo 6:10 muchas veces se cita equivocadamente como "El dinero es la raíz de todos los males". En realidad dice que "El *amor al dinero* es la raíz de todos los males", agregando "el cual codiciando algunos, fueron descarriados de la fe y se traspasaron a sí mismos con muchos dolores."

No es necesariamente malo ganar mucho dinero, tener una cuenta grande en el banco y poseer cosas lindas. Pero si nuestro dinero o posesiones nos impiden amar a Dios y al prójimo, el bien mayor es renunciar a las cosas en consideración de las necesidades de las personas. Juan exhortó: "El que tiene bienes de este mundo y ve que su hermano padece necesidad y le cierra su corazón, ¿cómo morará el amor de Dios en él?" (1 Jn. 3:17). Amar primero a Dios y a nuestros semejantes significa ser desprendidos con nuestro dinero y nuestras cosas y generosamente compartir ambos en un servicio amoroso en pro de los demás.

Un principio correlativo en cuanto a amar a nuestros semejantes por sobre las cosas es: Un ser humano antes de nacer es más valioso que cualquier "cosa". Un niño antes de nacer vale más que un caballo de carrera en su apogeo que cuesta un millón de dólares. Un niño antes de nacer vale más que el diamante más grande del mundo. Un niño antes de nacer vale más que una carrera, un hermoso auto o una casa. Un ser humano antes de nacer no es un mero tejido o apéndice del cuerpo. Es una persona creada a la imagen de Dios. Quienes atentan contra una vida humana que se está formando en el vientre de una madre están interrumpiendo la obra de Dios (Sal. 139:14-16). Ninguna cantidad de dinero o de bienes terrenales vale el sacrificio de un ser humano en formación. De hecho, en el Antiguo Testamento causar un nacimiento prematuro que resultaba en la muerte de la criatura era penado con la muerte (Exo. 21:22, 23).

El sacrificio de unos pocos por el bien de muchos

Lo hemos visto en el cine y lo hemos sabido por anécdotas verídicas de las guerras. Una granada cae en medio de un pelotón de soldados. Mientras que a sus camaradas los domina el temor, un soldado valiente, abnegado, se lanza sobre la granada para sofocar la explosión que hubiera matado a varios. Una persona sacrificando su vida para salvar a muchos. Esta escena ilustra una pauta evidente para los conflictos de amor: *Siendo el resto de los factores iguales, el amor demanda que muchas vidas sean consideradas más importantes que unas pocas.* Sansón sacrificó su propia vida para cobrarse las vidas del enemigo y para salvar a su propio pueblo (Jue. 16:29,30). David mató a Goliat para proteger las muchas vidas de sus compatriotas (1 Sam. 17). Caifás, el sumo sacerdote en el momento de la crucifixión de Jesús, se valió de este principio al aconsejar a los judíos que "convenía que un hombre muriese por el pueblo" (Juan 18:14). Fue inconscientemente una predicción del sacrificio expiatorio de Cristo por el mundo (Rom. 5:15). El apóstol Pablo dijo que estaba dispuesto a dar su alma eterna por la salvación de su pueblo, los judíos (Rom. 9:3).

Las Escrituras apoyan el principio de que muchos son más valiosos que pocos. Dios le dijo a Adán: "Sed fecundos y multiplicaos. Llenad la tierra; sojuzgadla" (Gén. 1:28). Y volvió a dar la misma orden a Noé después del diluvio (Gén. 9:1). No obstante, la palabra *llenad* sugiere ciertas limitaciones a este principio en el sentido de que muchos son mejores que pocos, pero no mejores que demasiados. Además, Dios ofrece salvación a todos, no sólo a unos pocos "porque no quiere que nadie se pierda, sino que todos procedan al arrepentimiento" (2 Ped. 3:9).

En la práctica, no podemos amar a todos, pero tenemos que amar a cuantos podamos. Debemos tratar de alcanzar para Cristo a cuantos familiares, vecinos y compañeros de trabajo podamos. Debemos sostener a cuantos ministerios cristianos nos sea posible con nuestras dádivas y oraciones. Y si tenemos que elegir, debemos sostener los ministerios que más bien están alcanzando a más gente.

La implicación de las ilustraciones hasta ahora es que *todos los factores son iguales.* ¿Cambia este principio cuando *no todos los factores son iguales?* Sí. La Biblia contiene muchos ejemplos de que unos pocos justos tienen prioridad sobre *muchos* malos. ¿Por qué, si intrínsecamente todas las vidas humanas tienen igual valor? Porque a veces unos pocos son la clave para salvar a muchos. Noé, siendo justo, y su familia, fueron preservados mientras el resto de la población del mundo pecaminoso murió (1 Ped. 3:20). Dios destruyó a muchos malos en Sodoma y salvó apenas a unos pocos justos de la familia de Lot (Gén. 19). A los israelitas se les ordenó exterminar a todas las naciones cananeas pecaminosas (Lev. 18:24, 25). Pero en todos estos casos, los pocos fueron la clave para salvar a muchos.

Debemos ciertamente amar a los perdidos y tratar de llevarlos a Cristo. Pero tenemos que invertir el mejor tiempo para alimentar y valorar a la familia de Dios con la cual pasaremos la eternidad. Dedicar el tiempo a discipular a cuatro creyentes quienes a su vez alcanzarán cada uno a cinco inconversos es mejor que tratar de convertir a cinco inconversos recalcitrantes, aunque cada actividad es importante. Tenemos que amar y tratar de alcanzar a todos los que podemos dando preferencia a nuestra familia y a la familia de Dios.

La vida de la madre y de su hijo en gestación

En una sociedad que debate acaloradamente el aborto, debemos enfocar otro principio bíblico en la escala de valores. Ya hemos dicho que el ser humano en gestación tiene más valor que cualquier cosa material. Sin embargo, *la vida de un niño en gestación debe ser preservada cueste lo que cueste excepto cuando la vida de la madre corre peligro.* Si la vida de una madre peligra por un embarazo extrauterino, el feto debe ser sacado para salvar a la madre. Además, si un hombre tiene que elegir entre salvar la vida de su esposa o de la criatura en sus entrañas, la madre debe ser salvada a costa del sacrificio del feto. Pero si la opción es entre una madre que muere de cáncer y un feto sano, el principio deja de ser definitivo. De la misma manera, si hay que decidirse entre un infante o un enfermo del mal de Alzheimer en estado avanzado o alguien en estado vegetativo, entra en juego el principio de la escala de valores que aparece a continuación.

Por lo general no hay conflicto entre estas áreas. Es raro que haya razón para tener que tomar una decisión de vida o muerte entre personas. Todas deben ser salvadas cuando sea posible. Pero en el caso de un conflicto imposible de resolver, los principios bíblicos indican cuál es el bien mayor.

En el cumplimiento cotidiano de nuestras obligaciones morales de amar a Dios y amar a otros, por lo general no hay conflicto. Podemos amar a Dios y a nosotros mismos, a Dios y al prójimo, a los muchos y los pocos, los nacidos y los por nacer sin tener que tomar determinaciones dolorosas. Pero a veces surgen en nuestro mundo conflictos que escapan a nuestro control. Cuando se hace evidente que uno no puede cumplir con dos responsabilidades de amor que chocan, debe elegir el más alto sobre el más bajo. Gracias a Dios, él nos ha dado su ley, el ejemplo de su Hijo y su Espíritu que mora en nosotros para ayudarnos a tomar estas decisiones y cumplir con nuestra responsabilidad de amar.

Preguntas difíciles y respuestas sin rodeos sobre principios relativos a la escala de valores

¿Provee la Biblia principios relativos a la escala de valores que abarcan la ética de la biología médica? Es decir, las tecnologías como inseminación artificial, combinación de genes y clonación ¿son buenas o malas?

Las tecnologías modernas que eran poco más que fantasía cincuenta años atrás han creado importantes dilemas éticos en la actualidad. La inseminación artificial, bebés de tubos de ensayo, mujeres que se embarazan como sustitutas, transplantes de órganos, combinación de genes y clonaciones son hoy una realidad médica. El interrogante ya no es ¿puede lograrse?, sino ¿debe hacerse?

Dos conceptos opuestos de Dios y la vida en nuestra sociedad dan diferentes respuestas al interrogante "¿debe"? y nos guían a la respuesta de amor a cada dilema. Ver cuadro comparativo en la siguiente página.

Como cristianos, no nos oponemos categóricamente a los adelantos de la tecnología médica. Pero como quienes nos hemos comprometido a *servir* a Dios, vemos esos adelantos des-

Concepto judeo-cristiano	Concepto humanista-secular
1. Un Creador —Dios— existe.	1. Un Creador —Dios— no existe.
2. La humanidad fue creada específica e intencionalmente.	2. La raza humana evolucionó de formas de vida más primitivas.
3. Dios tiene soberanía sobre toda vida.	3. El hombre es soberano sobre toda vida.
4. La santidad de la vida es altamente valorada.	4. La calidad de la vida es altamente valorada.
5. El fin no necesariamente justifica los medios.	5. El fin justifica los medios.

de otra perspectiva que la de los que, en razón de su punto de vista, pretenden representar el papel de Dios.

El papel del cristiano en cuestiones de biología médica es mejorar la vida humana, no crearla, lo cual es prerrogativa de Dios. Preferimos la salud genética, pero rechazamos la fabricación genética. Procuramos colaborar con la naturaleza, no tener control sobre ella. De acuerdo con esto, ayudar a un matrimonio infértil por medio de inseminación artificial es bueno, mientras que dar muerte a la vida de un feto porque no es genéticamente perfecto, es malo. Transplantar el órgano de un donante que acaba de morir, preserva la vida; pero criar un feto expresamente para tener "partes de repuesto" viola la santidad de la vida. Los experimentos para encontrar y erradicar el gene del cáncer puede preservar la vida de incontables miles, pero intervenir en la estructura genética de un feto para lograr ciertas cualidades físicas o mentales puede ser una violación de la soberanía de Dios en la creación. En cada caso conflictivo tenemos que determinar qué alternativa preserva y mejora la vida humana sin usurpar el papel de Dios como Creador y Soberano sobre ella. Hemos de usar a la ciencia para *servir* a Dios, nunca para tomar el lugar de Dios.

14

Cuestiones de vida o muerte

Carlos Velázquez, de 31 años, se inclinó sobre la cama de hospital en la que yacía su padre, buscando en los ojos semiabiertos y vacíos, alguna señal de vida. De la boca y nariz de aquel salían tubos. Un respirador al lado de la cama respiraba rítmicamente para él porque un accidente automovilístico lo había dejado en coma y no podía respirar por sí mismo. Carlos había visitado a su padre todos los días durante las últimas cinco semanas. Su condición no había cambiado. Si no hubiera sido por el aparato que bombeaba oxígeno a sus pulmones y el suero que goteaba en sus venas para alimentarlo, el señor Velázquez ya habría muerto.

Más que el dolor de ver incapacitado a su padre que había sido tan activo, estaba la confusión que sentía Carlos porque no sabía qué hacer. Su papá tenía cincuenta y cinco años. Bajo condiciones normales, hubiera disfrutado de veinte o treinta años más con sus hijos y nietos. Por un lado, Carlos quería hacer todo lo posible por mantener vivo a su padre hasta que "despertara" y volviera a ser el mismo de siempre. Pero estas no eran condiciones normales. El señor Velázquez había sufrido graves daños en el cerebro, y los doctores daban poca esperanza de que recobrara el sentido y aun menos que pudiera volver a ser normal. Por otro lado, Carlos quería pronunciar las palabras definitivas: "Desconecten el respirador", permitiendo así que su querido padre descansara en paz. La familia no se había podido poner de acuerdo, dejando todo en manos de Carlos. Este ansiaba saber cuál era la alternativa de amor: ¿la vida o la muerte?

Quizá el desafío más difícil que enfrenta el cristiano comprometido con la ética del amor es cómo amar cuando las alternativas son cuestión de vida o muerte. ¿Es acaso correcto quitar intencionalmente una vida humana por causa del amor? ¿Requiere alguna vez el amor el sacrificio de los seres humanos? ¿Qué del aborto, del homicidio por misericordia, el suicidio, el suicidio asistido, la pena capital y la guerra? Estas son cuestiones de peso. Si el amor no ofrece soluciones a las cuestiones de vida y muerte como éstas, es una ética que no funciona.

No cometerás homicidio

El acto de intencionalmente quitar una vida humana inocente nunca es un acto de amor como tal. "No cometerás homicidio" se encuentra tanto en el Antiguo como en el Nuevo Testamento (Exo. 20:13; Rom. 13:9). El apóstol Juan escribió de los homicidas: "Su herencia será el lago que arde con fuego y azufre, que es la muerte segunda (Apoc. 21:8). Pedro hizo recordar a los creyentes: "Así que, ninguno de vosotros padezca como homicida" (1 Ped. 4:15). Bajo la ley, los que intencionalmente quitaban una vida eran ajusticiados (Exo. 21:23). Después de que Caín matara a Abel (Gén. 4:8), el homicidio siguió fuera de control durante sucesivas generaciones hasta que "la tierra estaba corrompida delante de Dios; estaba llena de violencia" (Gén. 6:11). Dios sentenció al mundo por medio del diluvio.

Cuando Noé y su familia salieron del arca, Dios los comisionó con estas palabras para recalcar lo malo del homicidio: "El que derrame sangre de hombre, su sangre será derramada por hombre, porque a imagen de Dios él hizo al hombre" (Gén. 9:6). La maldad básica del homicidio es revelada en este pasaje: Cometer un homicidio es matar a Dios en efigie. Dado que la humanidad fue creada a la imagen misma de Dios, matar es un acto violento contra Dios. Esta es la razón por la cual el homicidio es considerado merecedor de la pena de muerte.

Aun más serio, el homicidio no se reduce al acto en sí. Se puede cometer homicidio en el corazón. Jesús dijo: "Habéis oído que fue dicho a los antiguos: No cometerás homicidio, y cualquiera que comete homicidio será culpable en el juicio. Pero yo os digo que todo el que se enoja con su hermano será culpable en el juicio" (Mat. 5:21, 22). El homicidio nace de la ira arraigada en el odio. Jesús dijo: "Porque desde adentro, del corazón del hombre, salen los malos pensamientos, las inmoralidades sexuales, los robos, los homicidios,... Todas estas maldades salen de adentro y contaminan al hombre (Mar. 7:21, 23). Juan categóricamente declara: "Todo aquel que odia a su hermano es homicida, y sabéis que ningún homicida tiene vida eterna permaneciendo en él (1 Jn. 3:15). El homicidio en sus raíces mismas se opone totalmente a la ética cristiana del amor. El homicidio es odio, y el odio es tan incompatible con el amor como la oscuridad lo es con la luz.

El amor nunca mueve a alguien a quitar una vida. El odio es falta de amor, como lo es el homicidio. El homicidio no es para nada como Dios, porque Dios es amor. El amor demanda que mostremos interés por el bienestar de los demás, aun por los que nos tientan a odiar. Jesús ordenó: "Amad a vuestros enemigos, y orad por los que os persiguen" (Mat. 5:44). Pablo dio instrucciones similares: "No paguéis a nadie mal por mal... no os venguéis vosotros mismos, sino dejad lugar a la ira de Dios... Más bien, si tu enemigo tiene hambre, dale de comer; y si tiene sed, dale de beber... No seas vencido por el mal, sino vence el mal con el bien" (Rom. 12:17-21). El enojo y el odio que llevan al homicidio en el corazón si no de hecho, deben ser reemplazados por el amor y las buenas obras.

No obstante, en ocasiones excepcionales, la prohibición de quitar la vida de otra persona inocente queda suspendida a favor de una ley más alta, un bien mayor. Para estas ocasiones también Dios nos ha dado principios dentro de la escala de valores que nos guían a hacer lo que es movido por el amor.

Suicidio y sacrificio de la vida

Quitar una vida es malo, aun cuando la vida sea la nuestra. El suicidio es un acto de odio contra el yo así como el homicidio es un acto de odio contra otro. El suicidio es tan malo como el homicidio porque viola el mandato de amar al prójimo. El amor se opone a ambos. El suicidio es un acto egoísta de dar fin a nuestros problemas sin preocuparnos por ayudar a otros a resolver los problemas que ellos tienen. Tomar la salida "fácil" de las penas y dolores de la vida no es la salida más amorosa y responsable. El amor nunca pierde todo su propósito de vivir. La persona que está enfocada en proteger y proveer para el bienestar ajeno no tiene razón para odiar su propia vida. Amar es el antídoto para la tentación de autodestruirse.

Quitar una vida es un acto carente de amor, pero salvar una vida es un acto de amor. El suicidio por razones egoístas siempre es malo, pero renunciar a la vida por salvar a otro no sólo es aceptable sino digno de elogio. Jesús declaró: "Nadie tiene mayor amor que éste, que uno ponga su vida por sus amigos" (Juan 15:13). Cristo fue ejemplo de este principio de sacrificar uno su propia vida por el bien de otros. Dijo: "Yo pongo mi vida... Nadie me la quita, sino que yo la pongo de mí mismo" (Juan 10:17, 18). Por lo tanto, un principio bíblico relativo a los valores que gobiernan nuestra vida personal es: *El suicidio es malo, pero sacrificarse es justificable y noble en el intento amoroso de salvar la vida de un semejante.*

En el acto de empujar a un niño fuera del paso de un auto que se acerca a alta velocidad, un hombre es atropellado y muere. Una madre salva a su hijito de tres años de ahogarse en un lago, pero ella pierde su vida al hacerlo. Las balas van y vienen y un joven escuda con su propio cuerpo a su novia y muere de las heridas de bala que recibe. Dos marineros se sellan dentro de un compartimiento inundado a fin de evitar que el barco se hunda, y salvar al resto de la tripulación. Un piloto de la fuerza aérea en una misión de entrenamiento muere al estrellar su avión en un campo vacío en lugar de tirarse en paracaídas y dejar que el avión se estrelle en un vecindario lleno de gente. Pocos de nosotros tendremos la ocasión de dar nuestra vida por otros como lo hicieron estas personas. Pero a los ojos de Dios, un acto de autosacrificio para salvar otra vida es la más elevada expresión del amor cristiano, la antítesis misma del suicidio egoísta.

No todos los aparentes sacrificios de la propia vida "para salvar a otros" son un auténtico acto de amor. Pablo lo dijo claramente en el gran capítulo del amor: "Si reparto todos mis bienes, y si entrego mi cuerpo para ser quemado, pero no tengo amor, de nada me sirve" (1 Cor. 13:3). No todo mártir muere necesariamente por amor a un semejante. Algunos pueden sacrificar su vida por su obstinado compromiso con su propia causa egocéntrica. La Biblia relata varios ejemplos de suicidios egoístas. Herido de muerte, el rey Saúl cayó sobre su propia espada para no tener que pasar la vergüenza de morir a mano de sus enemigos (1 Sam. 31:4), un motivo nada impulsado por el amor. El "suicidio asistido" de Abimelec fue igualmente egoísta y orgulloso (Jue. 9:54).

Sin embargo, Sansón aparentemente sacrificó su vida por razones altruistas. Justo antes de causar el colapso del templo sobre él mismo y los filisteos, oró: "¡Señor Jehovah, por favor, acuérdate de mí! Dame, te ruego, fuerzas solamente esta vez, oh Dios, para que de una vez tome venganza de los filisteos" (Jue. 16:28).

Dios accedió a su pedido. Matando a más enemigos al morir que los que mató en vida (v. 30), Sansón salvó a su pueblo de la opresión filistea. *El sacrificio de la vida se justifica únicamente cuando la intención amante es salvar otras vidas.*

El mismo principio se aplica cuando la intención es rescatar a otros de la muerte espiritual. Cristo murió en la cruz "para dar su vida en rescate por muchos" (Mar. 10:45). Pablo dijo que estaba dispuesto aun a renunciar a su vida espiritual si con ello pudiera salvar a los judíos (Rom. 9:3). En ese mismo espíritu de sacrificar la vida por otros, algunos misioneros corren peligro de muerte por enfermedades cuando llevan el evangelio a regiones remotas, primitivas, del mundo. Los creyentes que hacen su obra en zonas llenas de pandillas y donde reina la violencia, arriesgan su vida para compartir a Cristo. Los que sirven a los necesitados, drogadictos, enfermos de SIDA y de otras enfermedades contagiosas corren el riesgo de sacrificar sus vidas.

Cuando arriesgamos nuestra vida en pro del ministerio, estamos imitando a Pablo quien dijo: "No estimo que mi vida sea de ningún valor ni preciosa para mí mismo, con tal que acabe mi carrera y el ministerio que recibí del Señor Jesús, para dar testimonio del evangelio de la gracia de Dios" (Hech. 20:24). Juan nos exhortó a seguir el ejemplo de Cristo: "El [Jesucristo] puso su vida por nosotros. También nosotros debemos poner nuestras vidas por los hermanos" (1 Jn. 3:16).

Por más difícil que sea encontrar el amor que sacrifica la vida, es la esencia misma de la ética cristiana del amor. No es malo morir por otros; es el acto más elevado de amor que uno puede hacer por otro ser humano. El suicidio, *quitarse la vida*, es el acto de egoísmo supremo. Pero sacrificar la vida, *dar la vida* por otros, es el acto de altruismo supremo.

Matar por piedad y dejar morir por piedad

El papá de Carlos Velázquez que tiene daño cerebral, en la práctica, ya está muerto. ¿Cuál sería el acto de amor: preservarle la vida o dejarlo morir? La víctima de un accidente ha quedado atrapado entre el metal retorcido y su auto en llamas mientras un agente de policía lo mira sin poder hacer nada. Gritando de dolor, la víctima le ruega al agente que le pegue un tiro y ponga fin a su tormento. ¿No demanda el amor que así lo haga? Una anciana, que ha sufrido episodios de desorientación y pérdida de la memoria, se entera de que tiene el mal de Alzheimer. Años antes ella y su esposo habían acordado que una muerte con dignidad tenía más valor para ellos que una vida sin calidad. Ella le pide a él que la lleve a un doctor que ayuda cuando alguien quiere suicidarse. ¿No está llevando a cabo él lo que es un acto de amor al salvarla de la humillación y el costo de la prolongación de una vida sin sentido?

Si no es un acto de amor quitarse la vida, menos lo es ayudar a otro a suicidarse. El amor demanda que el enfermo de muerte sea tratado con toda la misericordia posible, pero no que se le quite la vida aun en el caso de que lo pida. El amor tiene un mejor remedio que quitar la vida para mostrar misericordia al que se está muriendo. Proverbios 31:6 instruye: "Dad licor al que va a perecer, y vino a los de ánimo amargado." O sea, los analgésicos, sedantes y tranquilizantes son la respuesta misericordiosa, de amor a los que están al borde de la muerte y sufriendo mucho, no la eutanasia. Confortar al moribundo no sólo demuestra misericordia sino que reconoce la soberanía de Dios quien dijo: "Yo hago morir y hago vivir; yo hiero y también sano; no hay quien pueda librar de mi mano" (Deut. 32:39). El Dios de amor tiene soberanía sobre la vida humana. Job dijo acerca de él: "Jehovah dio, y Jehovah quitó. ¡Sea bendito el nombre de Jehovah!" (Job 1:21).

La eutanasia y ayudar a alguien a suicidarse nunca son demostraciones de amor, ¿pero qué de una muerte piadosa, dejando que el enfermo de muerte expire en paz sin intervención antinatural y extrema? La Biblia no compromete al cristiano a perpetuar la vida todo lo que se pueda. Dejar que alguien muera con piedad y naturalidad puede ser la alternativa de amor, mientras que seguir gastando inútilmente dinero y energías en casos aparentemente perdidos puede ser lo menos piadoso que puede haber. Nuestra convicción debe ser preservar la vida, no prolongar la muerte. Una inyección dada para apurar la muerte es una cosa, y es moralmente malo. Abstenerse de dar medicinas o ayudas que prolongan artificialmente la muerte es otra, y es moralmente bueno. En resumen, matar por piedad ¡no! Dejar morir por piedad cuando ya no hay remedio ¡sí!

Pero, ¿cuándo suspendemos los tratamientos y quién lo decide? ¿Cómo sabemos cuando un caso es de muerte? ¿No es siempre posible que suceda un milagro, a través de la ciencia médica por lo menos de la mano de Dios? Estas son preguntas muy prácticas e importantes, y el amor tiene que pesar cuidadosa y responsablemente todas las alternativas.

¿Cuándo estamos justificados en dejar morir a alguien suspendiendo las medidas extremas? El concepto de "enfermedad incurable" tiene para el cristiano dos aspectos. Primero, implica que ya no hay nada que *la medicina* pueda hacer, según lo determinen las mejores autoridades médicas de las que se pueda disponer. Segundo, significa que no hay nada que hacer *espiritualmente* para que el enfermo no muera. Dios ha sido consultado fervientemente en oración según Santiago 5:13-16 y se ha buscado repetidas veces el milagro de una recuperación (2 Cor. 12:7-9). Pero cuando tanto el diagnóstico médico y las perspectivas espirituales indican que no hay esperanza, y cuando se ha dado tiempo para evitar un error, el amor deja que las medidas extremas se suspendan y que ocurra una muerte natural, piadosa y sin dolor.

¿Quién decide? Tiene que ser una decisión en conjunto. Los deseos del enfermo en cuanto a su muerte, la opinión médica y el consejo del pastor deben ser considerados en la determinación final de la familia. Hay una mejor probabilidad de que el amor se exprese sabiamente en una decisión colectiva y menos posibilidad de que una persona sola tenga que cargar

con el sentido de culpa que puede resultar. (No hay culpabilidad *moral* porque dejar morir piadosamente bajo estas condiciones es la acción correcta.)

El principio relativo a los valores que aquí se aplica es:
Quitar una vida por piedad no es un acto de amor, pero permitir que una persona que padece una enfermedad incurable
muera de una muerte natural es lo piadoso y amoroso.

Sacrificio de una vida y sacrificio por misericordia

Siete náufragos perdidos van a la deriva en un bote salvavidas en aguas plagadas de tiburones. El agua entra en el
bote por el peso que lleva y, si algo no pasa pronto, los siete
morirán ahogados o se convertirán en comida para los
tiburones. ¿Estaría bien sacrificar algunas vidas para salvar
las demás? ¿O deberían dejar que todos mueran? ¿Cuál sería
la acción de amor?

Por supuesto que debe hacerse todo esfuerzo posible por
salvar a todos. Quizá los más fuertes podrían turnarse en el
agua, sosteniéndose del bote. Pero supongamos que aun así el
bote no puede sostener a todos. Entonces, si entre ellos hay
cristianos, aquí tienen una gran oportunidad para demostrar
el amor que se sacrifica a sí mismo que Cristo manifestó en
favor nuestro: "Nadie tiene mayor amor que éste, que uno
ponga su vida por sus amigos" (Juan 15:13). Si no se ofrece
ningún voluntario, entonces se puede usar el principio de la
providencia. Proverbios dice: "Las suertes se echan en el rega-
zo, pero a Jehovah pertenece toda su decisión" (16:33). Así fue
como los marineros en la antigüedad determinaron que Jonás
debía ser arrojado por la borda (Jon. 1:7). Y la Biblia declara
que el echar suerte debía usarse en asuntos importantes
(Prov. 18:18). O, para ser justos, se podría determinar
quiénes, por la providencia de Dios, fueron los últimos en llegar al bote. Es claro que alguien, como el capitán, cuya pericia puede necesitarse para salvar a otros, no debe ser sacrificado. Pero cuando llega el momento de la decisión, no es lo
más altruista dejar que todos mueran porque unos pocos son
un sobrepeso para el bote.

Consideremos otro ejemplo de un sacrificio por misericordia que nos toca más de cerca. Un demente con una pistola
automática entra en un centro comercial y empieza a disparar

alocadamente. Por misericordia a los muchos que podrían llegar a ser víctimas inocentes, el amor puede demandar el sacrificio del culpable. Una vez que se hayan probado todos los métodos preventivos o persuasivos, disparar para herir o matar al demente antes que él mate a otros puede ser el acto de más amor.

Sucesos como éstos en los que el sacrificio por misericordia debe ser considerado son extremadamente raros, pero muestran que a veces el amor a nuestros semejantes nada tiene de blando.

El amor y la pena de muerte como castigo

La pena de muerte, el ajusticiamiento intencional del culpable de homicidio, fue originalmente instituida por la falta de respeto por el ser humano hecho a la imagen de Dios (Gén. 9:6). Fue reforzada en la ley mosaica (Exo. 21:23-25), reconocida por Jesús (Juan 19:11) y enunciada nuevamente cuando Pablo recordó a los cristianos que el que gobierna "no lleva en vano la espada; pues es un servidor de Dios, un vengador para castigo del que hace lo malo" (Rom. 13:4). Es cosa seria castigar con la pena de muerte, así que la identidad del culpable debe ser absolutamente probada y su responsabilidad por el delito debe estar fuera de toda duda.

La pena de muerte, cuando es administrada con justicia, es una clase de sacrificio por misericordia del culpable a favor del inocente. Contrariamente a lo que popularmente se opina, la pena de muerte no es una barbárica expresión de falta de respeto por la vida del criminal. Es éste el que tiene una barbárica falta de respeto por el valor de la vida humana, no el tribunal que, con justicia, lo sentencia. El amor demanda que nos preguntemos a quién debemos mostrar misericordia, al inocente o al culpable. Si no demandamos justicia por medio del sacrificio del culpable por el inocente, estamos haciendo caso omiso del amor bíblico y mostrando falta de respeto por el valor de una vida inocente.

La misma justicia de Dios que demandó el sacrificio sustitutivo de Cristo, vida por vida, es la raíz de la moralidad de la pena de muerte. No había otra manera de satisfacer la justicia de Dios aparte de que Cristo diera su vida por la nuestra (Mar. 10:45; 1 Ped. 2:24). Y no hay otra manera de satisfacer la justicia de Dios y asegurar un orden social justo y respetuoso que insistir que la vida del homicida sea sacrificada. La total y cruel violación del valor de la vida individual no puede ser tolerada por el amor; el amor debe condenarla. Es un acto de amor valorar y proteger la vida humana, y la pena de muerte fue instituida precisamente con ese fin. Saber que uno perderá su vida si toma la de otro disuadirá de cometer homicidios en la mayoría de los casos. Y una cosa es segura: ¡Nadie que haya sido ajusticiado ha vuelto a cometer un crimen!

Amor y aborto

La Biblia habla mucho del valor de la vida humana. El principio del amor es claro: No cometerás homicidio. El principal interrogante en esto es el siguiente: ¿El aborto es homicidio? Primero, tenemos que definir la palabra homicidio. Homicidio es dar muerte intencionalmente a un ser humano inocente. Con esto, el interrogante sobre el aborto sólo puede recibir respuesta cuando se haya establecido la posición del ser en gestación. Existen tres posibilidades. Primero, si el ser en gestación es *completamente humano*, el aborto es homicidio, y es malo en todos los casos excepto como sacrificio para salvar la vida de la madre. Segundo, el embrión es *prehumano* o *subhumano*, no una persona sino una cosa, entonces puede ser tratado como un apéndice. Extirparlo no es homicidio. Tercero, si el feto es *potencialmente humano* pero no totalmente humano, entonces debe ser tratado con más respeto que simplemente una cosa.

Podemos sin ninguna duda eliminar la alternativa subhumana en base a lo que la Biblia enseña. El infante antes de nacer es una obra creativa de Dios, formado para ser una vida humana (Sal. 139:13-18). Aun antes de nacer puede ser llamado por Dios como lo fue Jeremías (Jer. 1:5) y ser lleno del Espíritu Santo como lo fue Juan el Bautista (Luc. 1:15, 41). David se refirió a sí mismo diciendo "soy pecador desde el seno de mi madre" (Sal. 51:5 DHH). Las cosas no pecan; sólo las personas pecan. El feto no es un ente subhumano.

Por otro lado, algunos razonan que el feto no es completamente humano. Pero no existe base científica ni bíblica para tal concepto. Primero, es un hecho científico que el óvulo humano fertilizado es 100 por ciento humano contando con todas las características genéticas, incluyendo su sexo. Segundo, la Biblia exige la misma sentencia por matar al niño que no ha nacido que por matar a la madre (Exo. 21:22-25). Tercero, el niño por nacer es llamado por el mismo nombre —"criatura"— que el niño recién nacido (Luc. 1:41). Cuarto, los pronombres personales como *él, yo, ella* son usados en las Escrituras para referirse al niño que todavía no ha nacido así como son usados para referirse a otros seres humanos (Jer. 1: Sal. 139). Por último, el Salmo 139 declara que la criatura en gestación es creada por Dios. No existe ninguna duda de que el bebé en gestación es un ser humano desde el momento de su concepción. No es una persona en potencia sino realmente una persona con un gran potencial.

La lógica es perfecta: Es moralmente malo quitar intencionalmente la vida de un ser humano inocente; el niño en gestación es un ser humano; el aborto le quita la vida a un ser humano inocente durante su gestación; por lo tanto, el aborto es moralmente malo.

Defensa de la libertad mediante el uso de armas mortíferas

El creyente comprometido con la ética bíblica del amor enfrenta otra cuestión difícil. ¿Permite el amor participar en la guerra y matar a militares e inocentes civiles? ¿La prohibición divina de matar se suspende alguna vez para el bien mayor del amor por la patria y la libertad?

Las instrucciones de Dios respecto a nuestra relación con el gobierno son claras. Pablo escribió: "Sométase toda persona a las autoridades superiores, porque no hay autoridad que no provenga de Dios; y las que hay, por Dios han sido constituidas. Así que, el que se opone a la autoridad, se opone a lo constituido por Dios; y los que se oponen recibirán condenación para sí mismos" (Rom. 13:1, 2). Pedro le hizo eco: "Estad sujetos a toda institución humana por causa del Señor; ya sea al rey como quien ejerce soberanía, o a los gobernantes como quienes han sido enviados por él para el castigo de los que hacen el mal y para la alabanza de los que hacen el bien" (1 Ped. 2:13, 14). ¿Implican estos versículos que debemos obedecer a nuestro gobierno en lo que ordene, aun cuando ordene ir a la guerra y matar? No podemos dar una respuesta afirmativa incondicional porque, como ya se ha explicado, la Biblia indica que hay ocasiones cuando el amor demanda desobediencia al gobierno de uno. Algunos de los ejemplos se aplican directamente a la orden del gobierno de quitar vidas. Las parteras hebreas se negaron a obedecer la orden del rey de dar muerte a los recién nacidos (Exo. 1). Abdías se negó a obedecer la orden de la reina Jezabel de matar a los profetas (1 Rey. 18). Estos casos de desobediencia prueban que la actitud de "mi país, para bien o para mal" es definitivamente contraria a los principios del amor. No estamos obligados a obedecer las órdenes gubernamentales de matar. La guerra no es buena simplemente porque el gobierno haya decretado que lo es. Siempre tenemos que obedecer al gobierno cuando se sujeta a Dios, pero nunca cuando no se sujeta a Dios.

El amor cristiano demanda selectividad en la cuestión de la guerra. Una guerra no es justa simplemente porque nuestro gobierno la ordene. Por otra parte, la guerra no es mala simplemente porque nuestra conciencia la prohíba. La conciencia puede estar condicionada equivocadamente por la sociedad, los sentimientos y la conveniencia (Rom. 2:14, 15; 1 Tim. 4:2). Para corregir esto, la conciencia debe ser informada de las realidades de la vida y la responsabilidad del amor.

La selectividad en cuestiones de guerra requiere que entendamos qué constituye una guerra justa. No todas las guerras *son* justas, por lo tanto tenemos que determinar cuáles lo son y cuáles no a fin de cumplir nuestra responsabilidad de amar. Los principios que gobiernan los valores tratados en los capítulos anteriores son vitales al proceso de determinar si una guerra es justa o injusta. Por ejemplo, podemos preguntarnos:

* ¿Es una guerra para salvar muchas vidas sacrificando unas pocas?

* ¿Es una guerra contra quienes no respetan a las personas en defensa de quienes no son respetados?

* ¿Es una guerra contra quienes valoran las ganancias económicas o territoriales por sobre la vida humana?

* ¿Es una guerra en defensa propia contra una agresión extranjera?

Cuando las implicaciones de los principios bíblicos relativos a valores son aplicadas a situaciones contemporáneas, aparecen los principios que muestran en qué consiste una guerra justa.

Una guerra justa es declarada y librada sólo por las autoridades constitucionales.

Dado que Dios instituyó el gobierno, son únicamente los gobiernos, no los individuos o grupos paragubernamentales, los que tienen el derecho de ir a la guerra contra otros gobiernos. Tenemos el derecho como individuos de protegernos contra otros individuos (Exo. 22:2). Pero no tenemos el derecho de sublevarnos contra nuestro propio gobierno. Dios dio la espada al gobierno para usar con los gobernados (Rom. 13:4), no al revés. Tenemos que someternos a las autoridades y trabajar para lograr las reformas necesarias dentro de las vías correctas. Los hijos de Israel huyeron de la opresión de faraón; no guerrearon contra él (Exo. 12).

Una guerra justa es la que se libra para protección del inocente y la liberación del oprimido.

Abraham fue a la guerra contra los reyes del valle para rescatar a su sobrino Lot, que había sido capturado injustamente (Gén. 14). Pablo apeló a Roma y aceptó la protección militar contra hombres malvados que querían quitarle la vida (Hechos 22:23). Las guerras de agresión no surgen del amor.

Una guerra justa es la que se libra únicamente si todo intento de lograr justicia ha fracasado.

El camino del amor es buscar la paz por todos los medios posibles. Jesús dijo: "Bienaventurados los que hacen la paz" (Mat. 5:9). A los israelitas se les ordenó: "Cuando te acerques a una ciudad para combatir contra ella, le propondrás la paz... Pero si no hace la paz contigo, sino que te hace la guerra, entonces la sitiarás" (Deut. 20:10, 12). A los cristianos se les instruye: "Si es posible, en cuanto dependa de vosotros, tened paz con todos los hombres" (Rom. 12:18); "Procurad la paz con todos" (Heb. 12:14).

Una guerra justa es la que se libra con una expectativa realista de ganar.

Una guerra sin esperanza de victoria no es más que una protesta que sacrifica más vidas inocentes en manos de los culpables que las que se hubieran perdido sin la guerra. La meta de la guerra justa es proteger al inocente, no sacrificarlo sin necesidad. Librar una guerra que no se puede ganar es suicidio en masa, y el sacrificio innecesario de vidas humanas no es altruista.

Una guerra justa se libra con justicia.

Al pueblo de Dios en el Antiguo Testamento se le ordenó: "Cuando sities mucho tiempo alguna ciudad para combatir contra ella, a fin de tomarla, no destruyas su arboleda alzando en ella el hacha, porque de ella podrás comer... Pero podrás destruir y talar el árbol que sabes que no es para comer, con el propósito de construir obras de asedio contra la ciudad que combate contigo, hasta que se rinda" (Deut. 20:19,20). El principio aquí es evitar la destrucción innecesaria, especialmente de cosas necesarias para la preservación de la vida después de la guerra. El mismo principio se aplica a las vidas humanas durante la guerra. Las personas que no están en la milicia no deben ser objetivos militares.

El amor nunca busca que una vida sea quitada como tal, pero a veces demanda el sacrificio de una vida, muerte para aliviar el sufrimiento, sacrificio por misericordia, pena de muerte y guerra justa. Hay una sola razón por la cual el amor puede justificar el sacrificio de una vida humana, y ésta es la salvación de otras vidas humanas. El amor le da el más alto valor a la vida humana en toda su plenitud. El amor siempre insiste en la preservación de lo que es humano, aun cuando haya que tomar graves medidas para lograrla.

Preguntas difíciles y respuestas sin rodeos sobre la vida y la muerte

1. *¿Es malo el control de natalidad porque impide la concepción de una vida humana?*

Algunos cristianos creen que limitar deliberadamente, por medio de anticonceptivos, la cantidad de hijos que una mujer puede tener es una especie de homicidio por adelantado. Citan la soberanía de Dios sobre la vida (Gén. 20:18; Deut. 32:39) y argumentan que el control de natalidad es un intento por tomar el papel de Dios al controlar la vida. Pero existe una gran diferencia entre prevenir una vida antes de que empiece y quitar una vida después de la concepción, así como hay una gran diferencia entre que un granjero decida no plantar un campo y deliberadamente envenenar los brotes de su sembrado con un herbicida mortífero (excepto, es claro que matar a un niño es homicidio; matar un cultivo no lo es).

Seleccionar voluntariamente la cantidad de hijos no es más pecaminoso de por sí que optar por limitar la cantidad de semillas que uno planta en su campo. En realidad, tirar semillas al azar (ya sea en el caso de plantas o personas) puede ser más perjudicial que plantar selectivamente. La superpoblación que resulta en pobreza y mala salud para muchos es menos deseable que prevenir intencionalmente la concepción de algunos. Si limitar por medio de anticonceptivos la cantidad de hijos puede mejorar la calidad de la vida de las personas vivientes, no es moralmente malo hacerlo. El método de control de natalidad debe, sin embargo, ser uno que no mata al óvulo fertilizado —eso es aborto— sino uno que sencillamente previene la concepción.

2. *¿Por qué mandó Dios a Israel que arrasara con naciones enteras, matando a hombres, mujeres y niños? ¿No fue la conquista de Canaán por parte de Israel una guerra de agresión?*

Los cananeos distaban mucho de ser inocentes. Levítico 18 describe vívidamente sus pecados. Dios dijo: "La tierra ha sido contaminada; por eso castigué la maldad de ellos sobre ella, y la tierra vomitó a sus habitantes" (v. 25). Este pueblo era es-

candalosamente inmoral, denigrándose aun a sacrificar niños
(v. 21). Dios había sido muy paciente con ellos, declarándole a
Abraham que no dejaría que Israel conquistara la tierra hasta
que el pecado de sus habitantes llegara "al colmo de la maldad" (Gén. 15:16), ¡dándoles cuatrocientos años para arrepen-
tirse! Cuando Israel aniquiló a los cananeos, su maldad mere-
cía total destrucción.

El ataque de los israelitas dirigido por Dios contra los cananeos fue una guerra de retribución, no de agresión. Los habitantes de la Tierra Prometida habían resistido y desobedeci-
do a su paciente Creador al punto de ser incorregibles. En respuesta a su incesante rebeldía, Dios finalmente actuó emi-
tiendo juicio, quitando la maldad de la tierra y proveyendo
una patria para su pueblo.

En cuanto a la destrucción de los niños inocentes de los cananeos, hemos de notar varios factores. Primero, con la generación de adultos totalmente contaminada por el pecado, los
niños, dejados a su suerte, no tenían posibilidad de evitar el
mismo destino. Segundo, al aniquilar a toda la población en
lugar de solamente a los adultos, Dios en su misericordia salvó a los niños de una vida sin el cuidado y protección de sus
progenitores. Tercero, los niños que mueren antes de tener
conciencia del bien y el mal van al cielo. Fue un acto de la misericordia de Dios llevarlos ante su santa presencia sacándo-
los de un ambiente tan impío. Cuarto, Dios tiene soberanía sobre la vida y puede ordenar su terminación de acuerdo con su
voluntad y en consideración del bien definitivo de la persona,
lo cual él conoce.

15

Cuando no hay amor

A esta altura del libro algunos ya quisieran decirle a los autores: "Señores, yo sé que escribieron este libro para ayudar a personas como yo, pero estoy desanimado. No amo a Dios ni a mis semejantes como debiera. La realidad es que a veces he sido indiferente hacia ciertas personas y francamente rencoroso con otras. Y he sido lastimado por quienes han sido antipáticos y crueles conmigo; aun por cristianos que se supone deben ser amorosos. Coincido con todo lo que ustedes dicen sobre el amor y su importancia. ¿Pero qué puedo hacer cuando no amo como debo?"

Lo comprendemos y compartimos su preocupación. En realidad, no existe el cristiano que no se haya sentido fracasado al pensar en los dos grandes mandamientos. Así que finalizamos con algunas pautas prácticas, breves, para tratar con esas ocasiones en la vida cuando no amamos como deberíamos amar.

Cuando no sentimos amor por nuestros semejantes

Ha tenido usted un día agotador en el trabajo y llega a casa con los nervios de punta. En lugar de recibirle con alegría, los chicos inmediatamente empiezan a lloriquear y molestarse el uno al otro y a quejarse de todo. Usted pierde los estribos. "¡Salgan de aquí inmediatamente y déjenme tranquilo!", explota enojado. Ellos se van desilusionados y llorando.

La conversación con sus compañeros durante la hora de comida en el trabajo degenera en una sesión de encontrarle todos los defectos al jefe que no está presente para defenderse. Siguiendo la corriente a los demás usted aporta su granito de arena, diciendo algunas cosas crueles que usted sabe que no son totalmente la verdad.

Su vecina tiene cáncer y le quedan pocos meses de vida. Usted sabe que debería visitarla, ofrecer su ayuda y contarle de la salvación que puede tener en Cristo. Pero está tan ocupada con su propia vida que lo va dejando a un lado. El tiempo pasa y ella muere, y usted nunca fue a visitarla como pensaba hacerlo.

¿Qué hacer cuando se da cuenta que falló, que habló o actuó sin amor hacia sus semejantes y, al hacerlo, hacia Dios? En lugar de castigarse o cuestionar la presencia de Dios en su vida, tome pronto estos pasos y siga creciendo como una persona que da amor.

Confiese su pecado a Dios y reciba su perdón.

Hace algunos años me pusieron (Josh) una multa por manejar con exceso de velocidad. Cuando fui a pagar la multa, que era bastante, la empleada me dijo: "Si toma usted una clase de tres horas sobre normas de seguridad al manejar, no tiene que pagar la multa." Tomé la clase y me dieron el certificado. Cuando la presenté a la empleada me dijo: "Su expediente queda limpio, no tiene que pagar la multa." Al volver a casa ese día, pensé: *Qué hermosa ilustración de lo que Cristo hizo con mis pecados. Yo era totalmente culpable, pero él limpió mi expediente al morir en la cruz.*

Jesucristo pagó el castigo de todas nuestras palabras dichas y acciones hechas sin amor. Cuando las confesamos, es la naturaleza de Dios perdonar al pecador penitente. Exodo 34:6, 7 nos dice que es "compasivo y clemente, lento para la ira y grande en misericordia... que perdona la iniquidad, la rebelión y el pecado." Pablo escribió: "[Dios] nos ha librado de la autoridad de las tinieblas y nos ha trasladado al reino de su Hijo amado, en quien tenemos redención, el perdón de los pecados" (Col. 1:13, 14).

Nuestra responsabilidad es confesar nuestra falta de amor por nuestros semejantes y recibir el perdón de Dios. Dice 1 Juan 1:9: "Si confesamos nuestros pecados, él es fiel y justo para perdonar nuestros pecados y limpiarnos de toda maldad." La confesión y el perdón pueden suceder instantáneamente. En cuanto se da usted cuenta que ha fallado, vaya enseguida a Dios y diga: "Fallé, no amé como debiera." Si Dios respondiera oralmente a su confesión, podría decir algo como: "Sí, fallaste. Pero porque confiaste en mi Hijo y confesaste tu pecado, eres perdonado y tu expediente queda limpio." El salmista nos promete: "Tan lejos como está el oriente del occidente, así hizo alejar de nosotros nuestras rebeliones" (Sal. 103:12). Y eso incluye toda acción carente de amor o egoísta que le confesamos.

Perdónese a sí mismo.

Es sorprendente cómo algunos cristianos pueden confesar su pecado y agradecer a Dios su perdón y enseguida dar media vuelta y condenarse a sí mismos por haber fallado. "Qué idiota eres. ¿Cómo pudiste decir algo tan cruel? Poco tienes de cristiano. ¿Cómo te va a poder usar Dios después de lo que hiciste? A ver si te compones un poco."

Es una locura aceptar la muerte de Cristo como la base del perdón de Dios y después creer que tiene que castigarse o mejorar para poder perdonarse a sí mismo. No sólo es ilógico sino que también deshonra a Dios. Es como decir que su sacrificio lo satisfizo a él pero no es lo suficiente para satisfacerlo a usted cuando falla. Deje de condenarse a sí mismo por sus fracasos; Cristo ya cumplió la condena en lugar suyo. Reconozca la suficiencia del perdón de Dios perdonándose a sí mismo.

Enmiende las cosas hasta donde le sea posible.

Si sus últimas palabras antes de apagar la luz fueron insensibles, dichas con enojo o hirientes, confiese silenciosamente su pecado a Dios, luego pídale perdón a su cónyuge antes de irse a dormir. Si no le hizo caso a su hijo cuando le pidió que lo ayudara con su tarea escolar porque estaba "ocupado" mirando la televisión, confíeselo, apague el televisor y pídale disculpas y vea qué puede hacer para ayudarle. Si ha ofendido ya sea a un pariente, amigo, compañero de trabajo, vecino, hermano en la iglesia o a un extraño, haga todo lo posible por admitir su falta y buscar que lo perdonen. Si su ofensa le ha costado dinero a la persona o dañado su propiedad, esté preparado para hacer restitución. O si sus palabras crueles y chismosas han echado al viento rumores falsos sobre alguien, haga todo lo posible por acallar esos rumores y enmiende las cosas con todos los involucrados.

Cuando sea posible, hable en persona con el que ha ofendido, reconociendo su conducta, falta de amor y pidiendo perdón. Si encontrarse con él o ella cara a cara no fuera conveniente, llame por teléfono, envíe una nota o escriba una carta. Es importante hacer todo lo que esté a su alcance para corregir el mal en cuanto se da cuenta que ha sido egoísta o cruel con alguien. Si ha ofendido a alguien con quien ha perdido contacto, pídale a Dios que lo vuelva a poner en su camino en persona o por teléfono o por carta para poder enmendar la ofensa.

Tenga en cuenta que no todos aceptarán sus disculpas ni le perdonarán por haber actuado sin amor. Cierta vez en un restaurante yo (Josh) dije algo impropio delante de un hermano en la fe. No me di cuenta del mal que había hecho hasta que iba camino de mi casa y hasta que el Espíritu Santo me convenció de mi pecado. Se lo confesé a Dios, di media vuelta y volví al restaurante. Cuando encontré al hermano le dije:

—Estuve mal al decir lo que dije. Le pido disculpas por haber actuado sin amor. ¿Me perdona?

El hombre contestó:

—No, no le perdono. Nunca debió haber dicho lo que dijo.

Perplejo, respondí:

—Concuerdo con usted de todo corazón. Nunca debí haber dicho lo que dije, pero lo dije, y lo siento. ¿Me perdona?

Nuevamente se negó hacerlo. Seguimos hablando del asunto durante varios minutos, pero él no cedió. Me retiré del restaurante perdonado por Dios, pero sin haber sido perdonado por el hombre a quien había ofendido.

Durante los próximos cuarenta y cinco minutos me los pasé teniendo lástima de mí mismo, condenándome y sintiéndome culpable por la terquedad del hombre. Luego pensé: "Esto es ridículo. Confesé mi pecado a Dios y él me ha perdonado. Pedí disculpas de la manera más amante que pude.

Si no me puede perdonar, lo siento, pero el problema es de él, no mío." Me enderecé y allí mismo cambié de actitud.

Si usted espera que el ofendido le perdone antes de perdonarse a sí mismo, está cambiando la base del perdón del sacrificio de Cristo a la actitud de la persona que ofendió. Si sinceramente pide disculpas por sus palabras o acciones ofensivas pero recibe la misma reacción que recibí yo en aquel restaurante, no guarde resentimiento contra la persona ni se condene a sí mismo. Olvídelo. Deje que Dios actúe en el corazón de la persona que no le quiso perdonar. Usted hizo lo que correspondía.

Cuando alguien no nos ama

Aun las personas más cariñosas y bondadosas del mundo son capaces de decir y hacer cosas crueles. Alguna vez puede usted sentir el aguijón de la envidia de un compañero de trabajo, la promesa no cumplida de su padre, la falta de lealtad de su cónyuge, las palabras imprudentes de un amigo, la acción cruel de un niño o el resentimiento de un extraño. ¿Cómo debe reaccionar cuando alguien quebranta la ley del amor y es usted víctima de esas palabras o acciones?

Debe reaccionar como no lo quiso hacer aquel hombre en el restaurante: Debe perdonar. Perdonar es la decisión consciente de limpiar de todo juicio el expediente, dejar a un lado todo resentimiento, librar al ofensor de la deuda de su acción y personalmente aceptar el precio de la reconciliación.

Perdonar es para el cristiano definitivamente un mandato, no una sugerencia. Jesús dijo: "Y cuando os pongáis de pie para orar, si tenéis algo contra alguien, perdonadle, para que vuestro Padre que está en los cielos también os perdone a vosotros vuestras ofensas" (Mar. 11:25); "Porque si perdonáis a los hombres sus ofensas, vuestro Padre celestial también os perdonará a vosotros. Pero si no perdonáis a los hombres, tampoco vuestro Padre os perdonará vuestras ofensas" (Mat. 6:14, 15). Pablo se hizo eco al mandato de Cristo: "Sed bondadosos y misericordiosos los unos con los otros, perdonándoos unos a otros, como Dios también os perdonó en Cristo" (Ef. 4:32). "Vestíos de profunda compasión, de benignidad, de humildad, de mansedumbre y de paciencia, soportándoos los unos a los otros, cuando alguien tenga queja del otro. De la manera que el Señor os perdonó, así también hacedlo vosotros" (Col. 3:12, 13). Debido al hecho de haber sido perdonados por Dios, no podemos negar nuestro perdón a nuestros semejantes, como lo ilustrara Jesús en la parábola del siervo injusto en Mateo 18:23-25.

Considere algunas advertencias sobre el perdón. Primero, perdonar no es un sentimiento. Si espera hasta sentirse con ganas de perdonar el mal del que fue objeto, es posible que nunca perdone. Perdonar es una decisión consciente de borrar la falta a pesar del dolor que le haya causado.

Segundo, perdonar no significa pretender que la ofensa nunca ocurrió, aprobar el mal del que fue objeto ni demandar que el ofensor cambie su conducta. Si la persona está haciendo algo moral o legalmente malo o perjudicial, debe ser confrontado y hacerse responsable de sus acciones. Pero hemos de perdonar sea que el ofensor cambie o no.

Tercero, perdonar no es lo mismo que olvidar. Usted puede perdonar completamente a alguien y todavía recordar la ofensa. Se esperará que, con el tiempo, se vaya olvidando. Pero lo cierto es que nunca olvidará la ofensa si primero no perdona.

Quizá se esté preguntando: "Si perdonar es vital a la ética bíblica del amor, ¿por qué los cristianos tantas veces no quieren perdonar a los que los han ofendido?" Existen varias razones por las cuales no perdonamos.

* Nos gusta sentirnos superiores a otros. Pero en lugar de buscar algo que podemos criticarles, hemos de enfocar lo que es bueno y positivo en ellos (Fil. 4:8).

* A veces disfrutamos de guardar un resentimiento y de "poner el dedo en la llaga". Pero la Biblia nos ordena librarnos de toda amargura porque entristece al Espíritu Santo (Ef. 4:30-32).

* No podemos librarnos del enojo. Pero Pablo advierte: "Enojaos, pero no pequéis; no se ponga el sol sobre vuestro enojo" (Ef. 4:26).

* Pensamos que nos volverán a lastimar. Esto es poner límites al perdón en lugar de perdonar sin límites como Cristo lo ordenara (Mat. 18:21, 22). Es llevar cuentas del mal que nos han hecho, lo cual el amor no hace (1 Cor. 13:5).

* Nos tenemos lástima a nosotros mismos. "Ay de mí, me han lastimado y no lo merezco", nos quejamos. En lugar de esto, tenemos que alegrarnos de que Dios puede hacer que las cosas ayuden para bien —aun las palabras y acciones crueles de los demás (Rom. 8:28).

Perdonar es una expresión de amor, y el amor toma la iniciativa de perdonar aun cuando el ofensor no pida perdón. Al ser perdonadores totalmente dispuestos, estamos siguiendo el ejemplo de Dios; él nos perdonó aun antes de que supiéramos que habíamos pecado: "Dios demuestra su amor para con nosotros, en que siendo aún pecadores, Cristo murió por nosotros" (Rom. 5:8); "En esto consiste el amor: no en que nosotros hayamos amado a Dios, sino en que él nos amó a nosotros y envió a su Hijo en expiación por nuestros pecados" (1 Jn. 4:10). Hemos de imitar la disposición de Dios de perdonar pronta y totalmente.

También tenemos que estar listos para perdonar una y otra vez a quienes nos ofenden repetidamente. En la época de Cristo, el consenso entre los rabíes era que una persona debía ser perdonada hasta cuatro veces por la misma ofensa. Algunos de los maestros más generosos perdonaban hasta siete veces. Cuando Pedro le preguntó a Jesús: "Señor, ¿cuántas veces pecará mi hermano contra mí y yo le perdonaré? ¿Hasta siete veces?" (Mat. 18:21). La respuesta de Jesús demuestra que nuestro perdón no debe tener límites: "No te digo hasta siete, sino hasta setenta veces siete" (v. 22). Tenemos que perdonar todas las ofensas y a todos los ofensores todas las veces.

El poder de perdonar

Si está comenzando a pensar que perdonar puede ser difícil, tiene usted razón. ¿Dónde encontramos el poder para perdonar cuando nos sentimos tentados a guardar resentimiento, a vengarnos o a hacer alarde de nuestra superioridad? El poder viene de Dios, el gran perdonador.

Primero, podemos perdonar porque tenemos la providencia y el ejemplo de Jesucristo. Perdonar era una parte integral del ministerio terrenal de Cristo, abarcando aun a los hombres que lo crucificaron (Lucas 23:34). Su sacrificio en la cruz proveyó la posibilidad de que seamos perdonados y es la base para perdonar a los demás. Estudie el ejemplo de la vida de Cristo y reconozca que su muerte es la base para que usted perdone cualquiera y todas las ofensas que sufre.

Segundo, usted puede perdonar porque en usted mora la presencia del Espíritu Santo. No está solo, Dios vive en usted para obrar sus buenos propósitos en su vida (Fil. 2:13). Esté continuamente lleno del Espíritu Santo y confíe en que él le dará las fuerzas para poder perdonar.

Tercero, usted puede perdonar porque tiene en la Palabra de Dios las pautas a seguir. Satúrese de los pasajes sobre el amor citados en este libro. Memorícelos. Medite en ellos. Al irse enraizando profundamente la Palabra de Dios en su corazón y su mente, verá que está dispuesto y capacitado para obedecerla (Col. 3:16).

Por último, usted puede perdonar porque tiene el poder de la oración a su disposición. Haga que esta oración sea parte de su comunión diaria con Dios: "Padre Celestial, gracias por enviar a Jesucristo para morir en la cruz a fin de que yo pueda ser perdonado totalmente por mis pecados. Ayúdame a confesar enseguida las cosas que hoy diga y haga sin amor. Dame las fuerzas para vencer mi orgullo y buscar el perdón de los demás cuando he obrado sin amor. Muéstrame cómo perdonarme a mí mismo y cómo tomar la iniciativa para perdonar a los que han obrado sin amor hacia mí. Te pido convicción cuando necesito tener convicción, sanidad cuando necesito sanidad y consuelo cuando necesito consuelo. Déjame ser hoy para el mundo, un canal de tu amor y perdón."

Practíquelo y haga que vivir la verdad se convierta en un hábito

Durante las sesiones de grupo y las actividades individuales de este Libro de Trabajo descubrirá:

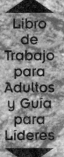

- Qué es lo que ha causado una declinación de los valores en nuestra cultura
- Qué verdades son absolutas y por qué
- Por qué las malas opciones parecen ser tan "beneficiosas" a sus jóvenes
- Cómo inculcar en sus hijos valores bíblicos tales como la honestidad, el amor y la pureza sexual
- Cómo equipar a sus jóvenes con un sencillo proceso de 4 pasos que les guiarán a tomar las decisiones correctas.

• Edición para Adultos. No. 11082
• Guía del Líder. No.11083

LA VERDAD SI IMPORTA

PARA USTED Y LA GENERACION DEL MAÑANA

El Libro de Trabajo incluye actividades para 35 días que le ayudarán a inculcar en sus niños y jóvenes valores bíblicos como honestidad, amor y pureza sexual. Dedicando sólo 25-30 minutos por día, descubrirá una manera nueva y eficaz de enseñar a su familia cómo tomar las decisiones correctas, aun en situaciones difíciles.

La *GUIA DEL LIDER* ha sido diseñada para ser usada en ocho sesiones grupales que fomentan la interacción y un creciente apoyo entre los adultos.

Libro
de
Trabajo
para
Adultos
y Guía
para
Líderes